Rédaction : Suzanne Agnely et Jean Barraud,
assistés de J. Bonhomme, N. Chassériau et L. Aubert-Audigier.
Iconographie : A.-M. Moyse, assistée de N. Orlando.
Mise en pages : E. Riffe, d'après une maquette de H. Serres-Cousiné.
Correction : L. Petithory, B. Dauphin, P. Aristide.
Cartes : D. Horvath.

© *Librairie Larousse. Dépôt légal 1978-3ᵉ — Nᵒ de série Éditeur 12203.*
Imprimé en France par Jean Didier, Strasbourg (Printed in France).
Librairie Larousse (Canada) limitée, propriétaire pour le Canada
des droits d'auteur et des marques de commerce Larousse.
Distributeur exclusif pour le Canada : les Éditions françaises Inc.
licencié quant aux droits d'auteur et usager inscrit des marques pour le Canada.

Iconographie : tous droits réservés à A. D. A. G. P. et S. P. A. D. E. M.
pour les œuvres artistiques de leurs adhérents.
ISBN 2-03-252115-6.

les émirats du golfe Persique

Iran, Iraq, Arabie

la république arabe du Yémen

la république démocratique et populaire du Yémen

Librairie Larousse

17, rue du Montparnasse, 75006 Paris.

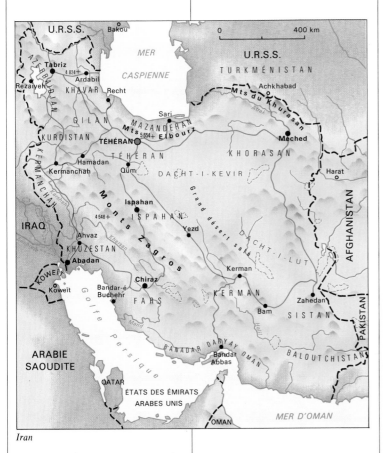

Iran

Iran (détail)

l'Iran

pages 1 à 40

rédigé par Patrick de Jacquelot

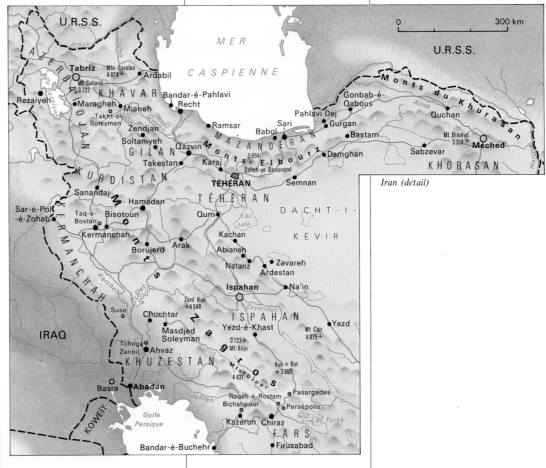

Iran (détail)

l'Iraq

pages 1 à 19

les émirats du golfe Persique
page 20

rédigé par Claude Rivière

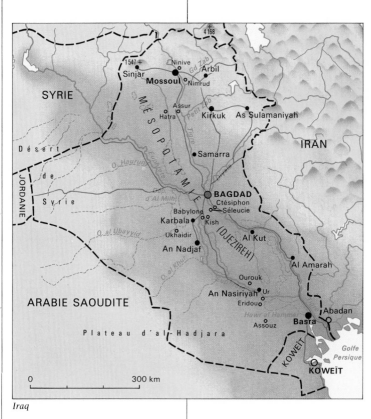

Iraq

l'Arabie Saoudite

pages 1 à 6

rédigé par Gérard Guillot

la république arabe du Yémen

pages 1 à 9

rédigé par Gérard Guillot

la république démocratique et populaire du Yémen

pages 1 à 5

rédigé par Gérard Guillot

Arabie Saoudite, Yémen

Le mausolée de Cyrus, fondateur de l'immense Empire achéménide et maître de toute l'Asie Mineure au VIᵉ s. av. J.-C., s'élève à Pasargades, dans le silence et la solitude d'un haut plateau.
Phot. A. Robillard

l'Iran

Quand, en 1908, le pétrole jaillit pour la première fois dans les montagnes du sud de la Perse, nul n'aurait pu imaginer que c'était l'événement le plus important de l'histoire du vieil empire fondé par Cyrus le Grand, au VIᵉ siècle av. J.-C. Pourtant, le pays en fut si profondément bouleversé que le gouvernement de Téhéran prit, en 1935, la décision symbolique d'en changer le nom : la Perse devint l'Iran.

L'Iran, c'est la Perse plus le pétrole : toute l'originalité, toute la personnalité du pays, tous ses problèmes aussi viennent de cette étonnante juxtaposition, de ce rapprochement fortuit entre deux mondes. La Perse : une des plus anciennes nations de la terre, une civilisation brillante et raffinée, un art de vivre légendaire. Le pétrole : principale source d'énergie du XXᵉ siècle, il a déclenché une course effrénée au développement. La société iranienne, écartelée entre

un passé plusieurs fois millénaire, où l'on vivait au rythme du désert, au rythme des prières, et une actualité vertigineuse, où s'enchevêtrent négociations pétrolières, impératifs militaires et industrialisation frénétique, avait entrepris une difficile mutation, conduite d'une main de fer par le chah in-chah Riza Pahlavi. Mais ce dernier ayant par trop négligé la spécificité culturelle de son pays, cette entreprise «d'occidentalisation» ne pouvait être ni comprise ni acceptée par le peuple. Aussi, en 1978, un formidable phénomène de rejet a-t-il secoué l'Iran, contraignant le chah à l'exil et débouchant sur un retour aux valeurs islamiques traditionnelles. La continuité est d'ailleurs une constante de ce pays aux multiples aspects, qui, malgré les derricks du Khuzestan et les buildings de la capitale, avait su préserver sa personnalité.

En jaillissant des steppes désertiques du Khuzestan, où chèvres et moutons errent à la recherche d'une maigre pitance, le pétrole a bouleversé l'économie iranienne.
Phot. G. Papigny

l'Iran

1

Sur la route des invasions

Avec, au sud et à l'ouest, le monde arabe, au nord-ouest la Turquie, porte de l'Europe, au nord l'U.R.S.S., à l'est, déjà, le cœur de l'Asie, la Perse occupe une position de carrefour comme peu de pays au monde. De ce fait, son histoire est une succession ininterrompue d'invasions et de sanglantes conquêtes. Lieu de passage obligé de tous les peuples en déplacement, elle fut maintes fois ravagée. Mais chaque occupation apporta, avec son cortège de destructions, de nouveaux éléments de civilisation. Une culture composite, mais spécifiquement persane, s'est ainsi constituée, dotée, au plus haut degré, de la capacité d'assimiler les envahisseurs. Et ceux-ci, qu'ils soient venus de Grèce, d'Arabie ou de l'Asie centrale, suc-

combèrent aux charmes de la Perse et adoptèrent ses mœurs, son mode de vie et sa langue.

De ces innombrables mouvements de population, il reste, dans l'Iran moderne, une grande variété ethnique, culturelle et religieuse. L'ethnie majoritaire est d'origine aryenne (« iranien » vient d'« aryen »), et sa religion est l'islam chiite. La stabilisation politique de cette région du monde étant très récente, les zones frontalières sont occupées par des minorités coupées du reste de leur peuple : Baloutches près du Pakistan; Arabes — de religion musulmane sunnite — et Kurdes le long de l'Iraq; Turcs aux alentours de la Turquie; Turcomans à la frontière avec l'U.R.S.S. Deux minorités ont un poids économique considérable : celle des Arméniens surtout, mais aussi la petite communauté juive, pas toujours bien supportée par les populations musulmanes. Dans les montagnes du centre, deux peuples nomades, les Qashqais et les Bakhtiaris, essaient d'échapper à la sédentarisation que les autorités voudraient leur imposer. Enfin, quelques groupes de zoroastriens célèbrent toujours le culte du Feu, principalement à Yezd.

Téhéran, ville sans passé

Symbole du régime impérial, la capitale incarne sous ses aspects les plus nocifs, la tentative d'occidentalisation que le peuple iranien a rejetée en 1979. Et, de fait, que reste-t-il de la Perse dans ce chantier cyclopéen, où les carcasses d'acier des immeubles en construction font pendant aux passerelles métalliques pour automobiles ? Dans ce réseau inextricable de ruelles et d'autoroutes, où plus d'un million de véhicules tentent de se déplacer ? Dans cette mauvaise caricature de ville, où s'étendent de gigantesques espaces déserts ? Dans cette agglomération à l'atmosphère irrespirable, où la pollution dépasse dix fois la cote d'alerte américaine ? Dans cette juxtaposition d'édifices en brique, sans grâce et sans recherche, qu'aucun monument ancien ne vient racheter ?

Téhéran est une ville moderne, sans passé. Son histoire ne remonte pas au-delà de celle des deux dynasties les plus récentes de l'Empire iranien, les Qadjars et les Pahlavi, dont elle ne peut être dissociée. À la fin du XVIIIᵉ siècle, ce gros village des plus ordinaires fut choisi comme capitale par Agha Muhammad, fondateur de la dynastie des Qadjars, pour la seule raison que, contrairement à la plupart des autres villes de l'Iran, Téhéran n'avait jamais été capitale. Le nouveau chah comptait ainsi établir sa dynastie sur des bases neuves. Mais si Agha Muhammad, tristement célèbre par sa cruauté, était un homme énergique, ses successeurs furent des faibles. Durant leurs règnes, la nation iranienne se décomposa au profit des grandes puissances occidentales, fort intéressées par la position stratégique du pays.

La Russie s'empara de la Géorgie, l'Afghanistan devint indépendant, l'Angleterre contrôla le Baloutchistan et le golfe Persique. Les sou-

verains avaient de tels besoins d'argent qu'ils accordèrent à des étrangers la concession de secteurs économiques vitaux : routes, chemins de fer, mines et, mesure qui se révéla lourde de conséquences, prospection et exploitation du pétrole. Dans un tel contexte, il ne pouvait être question d'entreprendre les travaux nécessaires pour permettre à la nouvelle capitale de rivaliser avec les autres villes du pays. On se contenta d'embellir l'Ark (citadelle), résidence des souverains.

De ce complexe de murailles, de bâtiments et de jardins ne subsiste que le palais du Golestan. Destiné aux réceptions, il était, au XIXᵉ siècle, entouré d'un « jardin planté de roses, clos de deux côtés de murs animés de niches de faïence, tandis qu'à l'est on voyait de belles tours ajourées de grillages bleus, qui servaient alors de belvédère aux dames » (E. Pakravan). Enserré aujourd'hui entre des buildings administratifs, le palais sert encore pour les grandes cérémonies officielles. Intéressant exemple de l'art qadjar, avec ses voûtes incrustées de fragments de miroirs, il abrite, dans ses vastes salles de réception, de merveilleux tapis.

Une croissance incontrôlée

Tout changea avec la dynastie Pahlavi et l'exploitation des ressources pétrolières. En 1921, la nation iranienne était dans un tel état de décomposition qu'un simple soldat, devenu capitaine de cosaques, n'eut aucun mal à prendre le pouvoir. Quatre ans après son coup d'État, en 1925, il se proclama chah in-chah d'Iran, sous le nom de Riza chah Pahlavi. Grand admirateur d'Atatürk, il entreprit alors de faire passer son pays du Moyen Âge au

▲
La taille de ce fragment de chapiteau donne une idée des dimensions colossales de la prestigieuse capitale que les rois achéménides firent édifier à Persépolis pour y recevoir les tributs de leurs vassaux.
Phot. Hayaux du Tilly-Rapho

XXᵉ siècle. Il lutta pour restaurer l'intégrité territoriale, pour consolider l'unité nationale, perpétuellement menacée par les velléités d'indépendance des tribus, pour développer les moyens de transports et les voies de communication, pour créer un début d'industrie. Il déclara aussi la guerre au clergé musulman en réduisant ses privilèges, en menant une politique d'alphabétisation, en interdisant, sans succès d'ailleurs, le port du voile aux femmes : il espérait ainsi limiter l'influence ultra-conservatrice des *mollahs* (chefs religieux).

Homme autoritaire, le chah admirait Mussolini et Hitler : cela lui coûta son trône. En août 1941, la Grande-Bretagne et l'U.R.S.S. envahirent l'Iran. Riza chah le Grand dut abdiquer. Son fils, Mohammed Riza, lui succéda. À la fin de la Deuxième Guerre mondiale, il arracha à l'U.R.S.S. la restitution de la province d'Azerbaïdjan. Cette épreuve était à peine traversée qu'une vague nationaliste sans précédent porta au pouvoir le Dr Mossadegh, chef du parti du Front national, qui fut nommé Premier ministre. En mai 1951, celui-ci nationalisa le pétrole, dont l'exploitation, concédée jusque-là à une compagnie britannique, ne rapportait pas grand-

chose à l'Iran. Les puissances occidentales organisèrent alors le boycott du pays, ce qui provoqua une crise économique et fit redoubler l'agitation intérieure. Craignant une révolution, le chah fit arrêter son Premier ministre, sans pour autant revenir sur la nationalisation. Le calme rétabli, l'empereur, disposant de moyens financiers considérablement accrus, se consacra à l'industrialisation du pays. Ce que les mesures autoritaires de Riza chah n'avaient pu faire en matière de modernisation de la société, l'augmentation du niveau de vie, provoquée par les revenus pétroliers, le réalisa en une dizaine d'années.

Cette accélération ne se reflète nulle part aussi bien que dans la capitale. Comptant 500 000 habitants en 1940, Téhéran en a aujourd'hui près de 4 millions. Étagée sur les pentes des monts Elbourz, au pied du Qolleh-ye Damāvand (5 654 m), la ville descend du nord au sud, tant géographiquement que socialement : dans le nord, boisé et frais, les riches villas de la classe dirigeante et des étrangers ; dans le sud, poussiéreux et étouffant, les quartiers populaires et, encore plus bas, les bidonvilles où s'entassent les victimes de l'exode rural.

Quant aux quartiers centraux, ils évoquent n'importe quelle grande cité américaine : larges avenues se coupant à angle droit, buildings anonymes, bureaux, grands magasins. La foule, cosmopolite, est aussi peu folklorique que possible : même les femmes sont vêtues à l'occidentale. Les Téhéranais, coupés de leurs racines, ont fait de leur capitale l'une des plus invivables de la planète. Le touriste devra donc s'y consoler avec les musées, heureusement nombreux et fort beaux. Celui du Tapis, en particulier, unique en son genre, abrite quelque deux cent cinquante chefs-d'œuvre de cet art où l'Iran reste inégalé.

Sortir de la ville

Les habitants de Téhéran, on s'en doute, aiment profiter du week-end pour sortir de la ville. En hiver, l'occupation la plus appréciée est le ski ; l'été, c'est la ruée vers la Caspienne. Chaque fin de semaine, plusieurs centaines de milliers d'automobiles quittent Téhéran. Toutes, cependant, n'entreprennent pas le voyage de

▲
Dans le Kermān, entre l'immensité salée du désert et un chaos désolé de hautes montagnes, les hommes ont réussi, par un savant travail d'irrigation, à faire pousser quelques cultures.
Phot. G. Papigny

plusieurs heures qui, par des routes étroites, zigzagantes et extrêmement dangereuses, mène au bord de la mer intérieure. Certaines s'arrêtent à Karaj, à 50 km de la capitale, où, dans un vaste cirque rocheux, un grand barrage a été construit. Au bord du lac de retenue prolifèrent des installations de loisirs très « occidentales » : ski nautique, voile, hôtel-club, restaurants. D'autres — bien peu — vont à Qazvin, cent kilomètres plus à l'ouest, où la Perse est, enfin, au rendez-vous.

La rue principale de Qazvin, avec ses maisons quelconques, ne laisse pas deviner que, au XVIe siècle, la ville était la prospère capitale de la dynastie séfévide. Supplantée par Ispahan, elle tomba ensuite dans un demi-sommeil. Pour retrouver son charme passé, célèbre dans toute la Perse, il faut s'aventurer dans les ruelles du bazar, qui finissent toujours par aboutir à l'une des grandes mosquées.

La mosquée du Vendredi (Masjed-é-Djomeh), croulante et vénérable, impose le recueillement. Seuls les pigeons, utilisant la charpente d'une voûte comme perchoir, osent en troubler le calme. La mosquée du Chah, au contraire, est pleine d'animation. Beaucoup plus récente (elle date du début du XIXe siècle), elle se déploie autour d'une très vaste cour, plantée d'arbres et de buissons, au milieu de laquelle un bassin reflète les mosaïques jaunes et vertes des portiques.

Qazvin, appréciée en outre pour son vin, n'a pourtant pas toujours été une ville où il faisait bon vivre : l'heure la plus sombre de son histoire, elle l'a connue voici neuf siècles, alors qu'elle était soumise au redoutable « Vieux de la Montagne », dont le repaire se trouvait à proximité. De là, le maître de la secte ismaélienne des Assassins (de *hachchachin*,

« fumeurs de hachisch ») terrorisait le Moyen-Orient, grâce à ses tueurs drogués et fanatiques. Aujourd'hui, le château, impressionnante ruine au sommet d'un pic, est tellement difficile d'accès que la plupart des promeneurs téhéranais du week-end n'y sont jamais allés.

Qum, capitale du chiisme

Si Téhéran a résolument opté pour le XXe siècle et l'Occident, il suffit de faire cent cinquante kilomètres vers le sud pour atteindre, à Qum (ou Qom), la plus farouche gardienne des traditions iraniennes. C'est ici qu'eut lieu, en janvier 1978, la première des émeutes sanglantes qui allaient aboutir au renversement du régime impérial. On ne saurait y voir une femme dévoilée. Les étudiants de l'université ne pensent guère à chahuter ni à s'amuser : futurs *mollahs*, ils étudient le Coran et les textes mystiques. Ici, les étrangers ne sont pas les bienvenus : le sanctuaire de Fatima, qui dresse sa forêt de minarets et son dôme couvert de plaques dorées au cœur de la cité, leur est interdit.

Qum est, avec Meched, l'une des deux villes saintes de l'Iran. Lieu de résidence des plus hautes autorités religieuses du pays, les *ayatollahs*, elle est entièrement consacrée au chiisme. Cette branche dissidente de l'islam trouve son origine dans les problèmes de succession posés par la mort de Mahomet. Tandis que la grande majorité des musulmans — les sunnites — soutenait la famille des Omeyyades, les chiites, estimant que les successeurs du Prophète — les imams — ne pouvaient être que des membres de sa famille, suivirent son gendre Ali. La succession en ligne directe s'étant interrompue au douzième degré, les chiites vivent dans l'attente du retour, à la fin des temps, de ce douzième imam.

Le chiisme a permis aux Persans, islamisés de force par l'invasion arabe au milieu du VIIe siècle, de préserver leur identité culturelle. Cette religion schismatique est née dans les persécutions : ses « fêtes » ne sont que deuils et commémorations de martyres. La plus importante est celle de l'achura, où les fidèles revivent le massacre de Husayn et Hasan, les fils d'Ali. Il y a encore peu de temps, l'exaltation poussait les hommes à se répandre dans les rues en se flagellant. Si de tels excès ont à peu près disparu, le chiisme est toujours vécu avec passion. Religion d'État depuis le XVIe siècle, il est pratiqué par 93 p. 100 de la population. Depuis la révolution de 1979, sa morale coranique très stricte a force de loi.

La lutte pour l'eau

La Perse, la Perse essentielle, la Perse profonde, on la trouve le long du grand désert de l'Est, là où, pour s'installer, l'homme a dû affronter un milieu naturel hostile, et où il a

◄ *Comme toutes les mosquées de Qum, ville sainte du chiisme (forme schismatique de l'islam qui est la religion officielle de l'Iran), Hazrat-é-Mahsoumeh, le sanctuaire de Fatima, est strictement interdit aux infidèles.*
Phot. Loirat-C. D. Tétrel

célébré sa victoire en élaborant la plus raffinée des civilisations. Pour comprendre l'âme iranienne, il faut la chercher dans ces villes aux noms magiques — Kāchān, Natanz, Nā'in, Yezd, Kermān —, dans ces oasis luxuriantes, dans ces terres désolées.

Ce serait une grave erreur d'utiliser l'avion pour sauter de ville en ville : les longues heures passées à rouler d'une agglomération à l'autre ont une valeur initiatique.

▲ *Le Khuzestan, dont le sous-sol recèle les précieuses réserves d'or noir, appartenait, il y a quelque trois mille ans, au royaume d'Élam, qui y fit régner une brillante civilisation. (Entre Ahvāz et Chiraz.)*
Phot. Desjardins-Top

La route file en bordure du désert, sur 800 km, presque rectiligne, sans embranchement ni bifurcation : la voiture y semble immobile dans le lent glissement du paysage. Aujourd'hui, cette route s'accroche à des champs de roches bleues ou roses, entassées, fracassées, et l'on s'étonne qu'elle ne s'y déchire pas. Hier, elle flottait sur une couche uniforme de vague végétation jaune ; demain, elle glissera sur des dunes de sable.

◄

Pour se procurer de l'eau en plein désert, les anciens Perses ont inventé les qanats, canaux souterrains très profonds, jalonnés de puits d'accès, dans lesquels se condense l'humidité du sol.
Phot. G. Papigny

l'Iran

5

Ce désert qui s'étend du centre du plateau iranien jusqu'à l'Afghanistan et au Pakistan, c'est le Dacht-i-Kevir, puis le Dacht-i-Lut, immensité salée d'où toute forme de vie est absente. La route ne fait que l'effleurer, suffisamment toutefois pour avoir à traverser des étendues de terre grise fendillée, craquelée comme une vase sèche, où les plaques de sel laissent espérer, tout proches mais toujours derrière une ondulation supplémentaire du terrain, de bien improbables lacs.

Parfois, heureusement, les montagnes de l'Ouest se rapprochent. Quoique désertiques, elles donnent au paysage un aspect moins désolé. Dans ces régions, les signes d'activité humaine témoignent plus souvent d'un échec que d'une adaptation réussie à l'environnement : caravansérails abandonnés, petits édifices de terres aux dômes éclatés, sur fond de montagnes éclatées elles aussi.

Et pourtant, l'homme s'est installé : un chapelet de villes jalonne la route. La lutte pour la vie, ici, c'était la lutte pour l'eau. Il n'y en avait pas ? On l'a amenée. Un travail colossal a été entrepris il y a quelque deux mille cinq cents ans.

Pour le voyageur, la présence d'une ville est annoncée, parfois plusieurs dizaines de kilomètres à l'avance, par un étrange phénomène : une boursouflure du désert, un soulèvement hémisphérique répété du sol. La première fois, on pense à une curiosité de la nature, à une formation rocheuse particulière. Mais, au fur et à mesure que l'on s'approche, il faut se rendre à l'évidence : la régularité des formes, des intervalles et de l'alignement sont dus à la main de l'homme. On est en présence d'un *qanat*, exploit technique permettant de faire vivre une ville en plein désert. Un *qanat* est un canal souterrain, creusé à grande profondeur, entre

◀

Aux environs de Yezd, où plusieurs communautés pratiquent encore la doctrine de Zoroastre, de petits oratoires, dans lesquels une lampe brûle jour et nuit sous un grand arbre, perpétuent le culte du Feu des anciens Perses.
Phot. G. Papigny

▲
*Dans le centre désertique de l'Iran, les habitants se
protègent de la chaleur en construisant des maisons
basses, tassées les unes contre les autres, avec des murs
très épais et un minimum d'ouvertures.*
Phot. G. Papigny

Les teinturiers font sécher sur les toits de Kāchān les écheveaux de laine et de soie avec lesquels les artisans confectionnent des tapis qui sont parmi les plus réputés de l'Iran.
Phot. G. Papigny

physionomie du plateau iranien. Les perpétuelles invasions qui ont ravagé le pays ont également laissé leur empreinte. Chaque ville est protégée par une forteresse en ruine, énorme masse de terre où les pans de murs écroulés se perdent dans les éboulis de la base rocheuse, où les détails des créneaux, des embrasures, des tourelles se noient dans une couleur jaune-orangé uniforme, où un moignon de donjon s'effrite, fréquenté par les seuls corbeaux. Parmi ces forteresses, celles de Nā'in et de Kermān sont particulièrement remarquables.

Promenade dans le bazar

Toutes les villes iraniennes ont aujourd'hui un air de famille. Une grande rue les traverse de part en part, rassemblant, sous d'anonymes façades de brique, les édifices modernes : banques, cinémas, administrations. Les quartiers d'habitation se déploient autour du vieux cœur de la cité, qui reste le bazar, avec ses mosquées, ses écoles coraniques, ses hammams (bains publics) et, bien sûr, ses boutiquiers et ses artisans. Le bazar est une ville à lui tout seul, une agglomération dont les bâtiments sont imbriqués les uns dans les autres, dont les rues sont couvertes — protection contre le froid de l'hiver et la chaleur de l'été — et où une porte basse, s'ouvrant dans une galerie marchande, peut mener aussi bien à un entrepôt qu'à une mosquée, un petit jardin ou une maison particulière.

Que les allées du bazar soient étroites et sinueuses comme à Kāchān, ou larges et rectilignes comme la galerie principale de Kermān, la foule s'y presse avec animation, comparant les produits proposés, discutant, marchandant. On y trouve de tout, depuis les cuvettes en plastique et les tapis jusqu'aux magnétophones japonais et aux épices, en passant par la laine brute et les chaussures en Skaï. Des portefaix, pliés en deux sous le poids de leur charge, fendent la cohue en psalmodiant une mise en garde ; les commis des maisons de thé brandissent au-dessus des têtes, au bout de leurs doigts, des plateaux portant vingt ou trente petits verres emplis de breuvage doré ; des femmes sortent un instant la tête de leur voile noir (le *tchador*) pour admirer des tissus synthétiques de pacotille, qu'un marchand au bagou inépuisable présente comme le dernier progrès venu de l'Occident.

Un *mollah*, reconnaissable à sa robe noire et à son turban blanc, passe, digne, imperturbable : on s'écarte devant lui avec respect. Recroquevillé dans une échoppe de la taille d'un placard, un écrivain public remplit quelque papier pour un client, analphabète comme 52 p. 100 des Iraniens. La foule tourbillonne, les couleurs des tapis éclaboussent les parois de briques sombres, des colonnes d'aveuglante lumière tombent des ouvertures de la voûte, transperçant la fraîche pénombre... Régal pour les yeux, le bazar a également de quoi satisfaire les autres sens : le parfum des fruits secs s'y

10 et 30 m, sur une distance qui peut atteindre une centaine de kilomètres. Tous les 25 m, à peu près, se trouve un puits d'accès, entouré d'un anneau formé des matériaux extraits du sol lors du percement du conduit : c'est ainsi qu'apparaissent les alignements de cratères qui rythment le désert.

L'originalité des *qanats*, c'est qu'ils ne vont pas chercher l'eau d'une source : situés dans les entrailles du sol, ils captent son humidité interne, et celle-ci s'y condense jusqu'à devenir de l'eau courante.

Dès que l'eau est là, l'homme s'installe et prend sa revanche en édifiant de merveilleux jardins : celui de Fine, près de Kāchān ; celui, surtout, de Rāyin, orgueil de la bourgade, luxuriant carré de gazon anglais et de massifs de fleurs, plaqué sur la roche et le sable.

La lutte contre des conditions naturelles difficiles n'est pas la seule à avoir marqué la

▶

L'architecture particulière des villes du désert comme Zavareh, basée sur l'utilisation de la voûte et de la coupole, est due à l'absence de bois de charpente.
Phot. Desjardins-Top

Double page suivante :
Pour ne pas souiller par un contact impur le feu, la terre et les eaux, éléments sacrés, les zoroastriens déposent leurs morts au sommet d'un piton, dans des enceintes circulaires, les «tours du silence», où les vautours se chargent de les faire disparaître rapidement.
Phot. G. Papigny

mêle à la douceur des soies, le martèlement rythmé des chaudronniers à la saveur du thé, la vitalité de la foule à la miraculeuse permanence d'un lointain passé. Centre de la ville, le bazar iranien est aussi le centre de la vie.

Des mosquées
pour prier et pour vivre

Cette vie ne s'arrête pas à la porte de la mosquée. Lieu de culte, celle-ci est aussi une sorte de forum. Les fidèles y font, bien sûr, leurs prières. Déchaussés, ils posent devant eux une petite pierre gravée, puis, tantôt debout, tantôt agenouillés, tantôt prosternés, le front reposant sur la pierre, ils adressent à Allah l'invocation rituelle. Pendant ce temps, d'autres font la sieste ou se promènent en bavardant à voix basse ; certains, accroupis contre un mur, se chauffent au soleil ou se reposent à l'ombre, selon la saison, tandis que des étudiants apprennent leurs leçons en faisant les cent pas, un livre à la main. Le vendredi, jour férié de la semaine, la mosquée connaît sa plus grande animation : la foule s'y rassemble pour écouter le sermon de l'imam. C'est pourquoi la mosquée dite « du Vendredi » est toujours la plus vaste et la plus belle de la ville.

Selon le lieu et l'époque où elles ont été édifiées, les mosquées peuvent se présenter sous des aspects très différents. Celle de Nā'in, par exemple, l'une des plus anciennes de l'Iran (Xe s.), est édifiée sur le plan arabe : une cour entourée de galeries sur trois côtés et fermée, sur le quatrième, par une salle de prière dont la voûte est soutenue par des piliers. Il existe cependant une conception typiquement iranienne de la mosquée, qui triompha dans les grandes réalisations d'Ispahan et dont on trouve le premier exemple, datant de 1135, à Zavareh.

Poste avancé dans le désert, à l'écart de la grande route, Zavareh doit à son isolement d'avoir été à peu près épargnée par la modernisation. Construite entièrement en brique et en pisé, elle a la couleur du sable, qu'aucune tache vive ne vient égayer. Semblables à celles du désert, les ondulations des toits enserrent la mosquée que seules des ruelles minuscules permettent d'atteindre : on débouche brus-

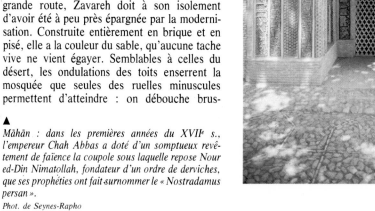

▲

Māhān : dans les premières années du XVIIe s., l'empereur Chah Abbas a doté d'un somptueux revêtement de faïence la coupole sous laquelle repose Nour ed-Din Nimatollah, fondateur d'un ordre de derviches, que ses prophéties ont fait surnommer le « Nostradamus persan ».
Phot. de Seynes-Rapho

quement dans la cour rectangulaire de l'édifice.

Au milieu de chacun des quatre côtés se trouve un *iwan*, grand porche en forme d'ogive, découpé dans une façade rectangulaire. L'axe de la mosquée est orienté vers La Mecque, c'est-à-dire à peu près vers le sud. L'*iwan* méridional s'ouvre donc sur la salle de prière, surmontée d'un dôme, au fond de laquelle une niche, le *mihrab*, indique la direction de la ville sainte. Cette salle est utilisée pour les cérémonies du vendredi. Pendant la semaine, les fidèles désirant faire leurs cinq prières rituelles dans la mosquée se placent dans l'*iwan* nord.

On trouve cette structure générale, avec quelques raffinements supplémentaires — minarets, bassin au milieu de la cour —, dans toutes les régions du pays. À Yezd, la mosquée du Vendredi, édifiée au XIVᵉ siècle, est une des plus remarquables de l'Iran, avec ses minarets exceptionnellement élancés et son dôme décoré de mosaïque à fond jaune.

Près des grandes mosquées, parfois dans leur enceinte même, se trouve l'école coranique, la *madrasa*, où sont formés les futurs *mollahs*. Celle de Kermān déploie ses bâtiments dans le bazar, autour d'un beau jardin où foisonnent buissons et massifs de fleurs, tandis qu'une pièce d'eau et des cyprès contribuent à rafraîchir l'atmosphère. Bien qu'elle soit située en plein cœur de la ville, aucun bruit ne vient troubler les jeunes étudiants à courte barbe noire et leurs vénérables maîtres à l'imposante barbe blanche. Non loin de la *madrasa*, de l'autre côté de la grande galerie du bazar, se trouve le plus beau hammam de tout le pays. Désaffecté, restauré, animé par des mannequins de cire, des vêtements et des accessoires d'époque, il permet de se faire une idée de l'importance des établissements de bains publics quand les salles d'eau particulières n'existaient pas encore. Il était alors d'usage de passer plusieurs heures au hammam, les bains brûlants, les bains glacés, les bains de vapeur et les massages alternant avec les périodes de repos, occupées à bavarder entre amis.

Le thé et les tapis

Hammam, école coranique, mosquée et, surtout, bazar sont donc les lieux traditionnels de la vie publique dans les cités du désert. Ces « monuments » étant clairement répertoriés, il suffit de suivre les indications d'un guide touristique pour les visiter. Mais partir à la rencontre du peuple iranien demande une autre approche, un autre comportement. Il faut s'enfoncer, au hasard, dans l'une des rues étroites, désertes, que bordent de hauts murs aveugles en pisé. Seul le pan du *tchador* d'une silhouette noire, loin devant, soulève la poussière du sol. Cette femme voilée ne fuit pas les étrangers : arrivée devant sa porte, elle va attendre qu'ils passent à sa hauteur, et, d'un geste, les inviter à entrer. Le sens de l'hospitalité iranien, disparu des grandes villes occidentalisées, garde ici toute sa force. Il y a quelques dizaines

◄ *Les architectes iraniens ont tiré d'étonnants effets décoratifs du principe de la coupole sur trompes, qui permet de passer du plan carré au plan circulaire. (Mosquée du Vendredi à Natanz.)*
Phot. Desjardins-Top

▲ *Dominant les toits en coupole de Yezd, le haut portail de la mosquée du Vendredi porte deux minarets si élevés et si élancés qu'on les a familièrement baptisés « tours Eiffel de l'islam ».*
Phot. Barbey-Magnum

► *Darius et ses successeurs, Xerxès et Artaxerxès, firent édifier à Persépolis, sur une vaste plate-forme, une capitale grandiose, qui fut rasée par Alexandre le Grand, probablement pour venger l'incendie d'Athènes par les Perses.*
Phot. Brake-Rapho

veulent savoir ce que ceux-ci pensent de l'Iran ; les jeunes se renseignent sur leur pays d'origine. Parfois, une jeune fille en *tchador,* au comportement très sage, pose des questions sur la façon de vivre des jeunes Occidentaux, et on sent qu'elle se débarrasserait volontiers, si elle en avait la possibilité, du voile et du statut de la femme qui va avec. Les enfants, fascinés par la peau blanche et les cheveux blonds librement exposés d'une visiteuse, ne peuvent en détacher leurs immenses yeux noirs, ou bien, très excités, ils courent en tous sens, assurés qu'ils sont de leur impunité : les Iraniens adorent les enfants et ne les réprimandent jamais.

La maîtresse de maison ne laissera pas partir ses invités sans leur montrer la pièce où les femmes de la famille tissent leurs tapis. Chacune travaille accroupie face à son métier, cadre de bois vertical sur lequel est tendue la trame. Pour les très grands tapis, la femme est assise sur une planche que l'on hisse vers le plafond, au fur et à mesure de la progression de l'ouvrage. Pinçant de la main gauche deux fils de la trame, elle y noue de la main droite un brin de laine, qu'elle coupe ensuite à la bonne longueur avec une petite serpe. La rapidité de ses mouvements est telle qu'on a du mal à les suivre. La densité de ces points noués varie de 2 000 à 10 000 au décimètre carré ; dans le dernier cas, ils sont si serrés qu'ils deviennent invisibles. Chaque ville a ses propres traditions en matière de tapis, les plus réputés de la région

d'années, la présence d'un hôtel aurait été un déshonneur pour une ville : tout habitant s'entendant demander par un voyageur le chemin d'un endroit où dormir se devait d'emmener l'inconnu chez lui et de l'héberger.

On ne saurait prévoir, en suivant son hôtesse, ce que l'on trouvera de l'autre côté du mur : deux pièces misérables où s'entassent une douzaine de personnes, ou une belle cour, ornée d'une pièce d'eau et de quelques arbres, sur laquelle s'ouvrent les vastes porches servant de lieu d'habitation pendant la chaleur de l'été. Les maison riches sont surmontées d'une tour à vent *(badgir),* sorte de cheminée fonctionnant à l'envers, c'est-à-dire captant la moindre brise et l'envoyant rafraîchir les salles à demi souterraines. Mais, que la demeure soit prospère ou modeste, la gentillesse, la discrétion, la générosité sont les mêmes. On s'installe dans la pièce principale. À l'exception de quelques étagères, il ne s'y trouve aucun meuble. Le sol est garni de tapis et de coussins et, dans un coin, sont entassés les petits matelas que l'on déroule chaque soir.

Assis en tailleur, par terre, on sacrifie au rite du thé. Celui-ci est servi brûlant dans de tout petits verres ; on en verse un peu dans la soucoupe, pour qu'il tiédisse, puis on place un morceau de sucre entre ses dents et l'on boit à même la soucoupe. Le thé est généralement accompagné de gâteaux, dont les Iraniens sont très friands, et de fruits. Les maîtres de maison font venir leurs parents, leurs amis afin que tous « profitent » de leurs hôtes. Les vieux

▲
Les bas-reliefs qui décorent les vestiges de Persépolis fournissent de précieux renseignements sur la vie à la cour des rois achéménides. (Porte nord de la salle des Cent Colonnes : en haut, Darius Ier accordant une audience.)
Phot. Vuillomenet-Rapho

▲
Palais impérial de Persépolis, embrasure de porte du Tripylon : Darius apparaît suivi de deux serviteurs, l'un portant un parasol et l'autre un chasse-mouches.
Phot. S. Held

dans un coin de la salle et file la laine pour ses filles et ses petites-filles.

Les villes du désert iranien sont, par excellence, le sanctuaire des traditions. La vie spirituelle y est donc particulièrement intense et s'ancre parfois, bien au-delà de l'islam, dans un passé multimillénaire. Ainsi, à Yezd, subsistent encore des communautés zoroastriennes. C'est sept siècles avant notre ère que Zarathoustra (déformé par les Occidentaux en Zoroastre) fonda la religion mazdéenne, qui fait du monde l'arène d'un affrontement permanent entre Ahura-Mazda, le Bien, et Ahriman, le Mal. Religion d'État sous la dynastie sassanide, le mazdéisme fut supplanté par l'islam, et ses fidèles furent tellement persécutés qu'ils ne sont plus guère qu'une vingtaine de mille. Ils pratiquent toujours le culte du Feu, mais ne respectent plus l'interdiction d'ensevelir les morts. Jadis, afin de ne pas souiller la terre, ceux-ci étaient placés au sommet des « tours du silence », livrés aux oiseaux de proie et à la décomposition. De ces édifices, il reste quelques ruines dans les montagnes entourant Yezd.

Les colonnes de Persépolis

En fait de ruines, celles de Persépolis sont beaucoup plus impressionnantes. Mondialement célèbres depuis la fastueuse célébration,

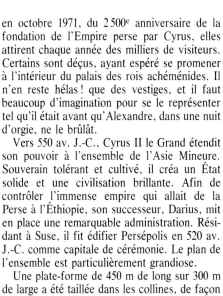

en octobre 1971, du 2 500e anniversaire de la fondation de l'Empire perse par Cyrus, elles attirent chaque année des milliers de visiteurs. Certains sont déçus, ayant espéré se promener à l'intérieur du palais des rois achéménides. Il n'en reste hélas ! que des vestiges, et il faut beaucoup d'imagination pour se le représenter tel qu'il était avant qu'Alexandre, dans une nuit d'orgie, ne le brûlât.

Vers 550 av. J.-C., Cyrus II le Grand étendit son pouvoir à l'ensemble de l'Asie Mineure. Souverain tolérant et cultivé, il créa un État solide et une civilisation brillante. Afin de contrôler l'immense empire qui allait de la Perse à l'Éthiopie, son successeur, Darius, mit en place une remarquable administration. Résidant à Suse, il fit édifier Persépolis en 520 av. J.-C. comme capitale de cérémonie. Le plan de l'ensemble est particulièrement grandiose.

Une plate-forme de 450 m de long sur 300 m de large a été taillée dans les collines, de façon à dominer la plaine. Un escalier monumental mène à la porte de Xerxès, encadrée par deux taureaux ailés à tête d'homme, de 6 m de haut. Derrière se déployaient les halls, les galeries, les salles de réception. La plus importante de celles-ci, l'Apadana, voyait défiler chaque printemps les émissaires des nations soumises à l'Empire. La scène nous est restituée par les bas-reliefs, admirablement conservés, qui ornent l'escalier de l'Apadana. La finesse de la sculpture met en valeur les caractéristiques des

étant ceux de Nā'in. Une femme peut passer un an devant le même tapis. À l'apogée de son art, elle confectionne des tapis en soie, encore plus fins, encore plus précieux. Vieille, elle s'assoit

Chapeau rond et boucles d'oreilles, barbe et cheveux frisés à la mode assyrienne, un Mède au nez aquilin et aux yeux de biche.
Phot. M. Fouteau

Une longue théorie de dignitaires mèdes, tenant à la main une fleur de lotus, symbole d'allégeance, gravit les degrés de pierre des escaliers monumentaux conduisant au Tripylon, qui donne accès aux palais de Persépolis.
Phot. Gerster-Rapho

vêtements des divers ambassadeurs, de tous les cadeaux offerts au Grand Roi.

De la plus riche salle de Persépolis, celle des Cent Colonnes, seuls une centaine de socles de pierre subsistent : les fûts en bois furent les premiers à brûler, en 330 av. J.-C., dans l'incendie allumé par Alexandre. Car les successeurs de Darius se révélèrent incapables de maintenir la cohésion de l'immense empire, et la civilisation achéménide, décadente, n'opposa guère de résistance à l'avance du conquérant grec. Aujourd'hui, les statues défigurées, les bas-reliefs, les escaliers ciselés et les quelques colonnes de pierre soutenant encore leur chapiteau 10 m au-dessus de la longue plate-forme rappellent que, jadis, s'élevait ici le plus beau palais du monde.

Non loin de là, à Naqch-é-Rostam, les tom-

beaux de quatre rois achéménides, dont Darius et Xerxès, sont taillés dans le roc à mi-hauteur d'une falaise. Les quatre façades cruciformes, identiques et d'une parfaite régularité, offrent un contraste saisissant avec les rochers déchiquetés qui les entourent. Derrière ces entrées monumentales, ornées de piliers et de bas-reliefs, une petite pièce nue abritait la dépouille.

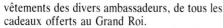

Près de Chiraz, un mausolée a été récemment édifié pour célébrer le poète Saadi, qui naquit dans la ville et y mourut vers 1290, après avoir beaucoup voyagé.
Phot. Michaud-Rapho

◄

Un autre grand poète persan est enterré à Chiraz : aussi apprécié aujourd'hui qu'au XIVᵉ s., Hafiz, surnommé «le Maître de Chiraz», repose parmi les fleurs sous un dais de pierre.
Phot. C. Lénars

Chiraz, cité des roses et de la poésie

Près de ces lieux grandioses, austères et inhospitaliers se trouve Chiraz, ville célèbre pour son art de vivre et pour son vin. Cette grande agglomération de 300 000 habitants ayant été terriblement «modernisée», il faut la visiter au printemps pour comprendre comment elle a permis à deux des plus grands poètes persans, Hafiz et Saadi, d'y composer le meilleur de leur œuvre. À cette saison, la cité croule littéralement sous les roses, fleurissant par buissons entiers le long des avenues, devant les maisons, dans les jardins. L'air est pur et doux, et la silhouette mauve des montagnes désertiques, au loin, fait apprécier ce que la richesse de la végétation de Chiraz a de miraculeux. Cette végétation s'épanouit tout particulièrement autour des mausolées des deux poètes. Saadi et Hafiz en seraient sûrement heureux : ainsi, les jeunes Iraniens peuvent chercher

▲

Quand vient l'hiver, les nomades Qashqais abandonnent les hautes vallées des environs de Chiraz pour gagner des contrées dont la température est plus clémente.
Phot. M. Fouteau

20

▲

Quelques piquets sommairement équarris forment le métier sur lequel les nomades Qashqais tissent les kilims, qu'ils conservent souvent pour leur usage personnel et qui ne sauraient rivaliser avec les fameux tapis persans exécutés au point noué.
Phot. G. Papigny

l'inspiration non seulement dans leurs vers, mais aussi dans les tapis de fleurs de leurs tombeaux. Car, en Iran, la poésie est une chose sérieuse : la vénération dont jouissent aujourd'hui ces poètes du XIIIe et du XIVe siècle et les véritables pèlerinages qu'attirent leurs sépultures en sont la preuve.

Chiraz est une vieille ville — sa « Nouvelle Mosquée » date du XIIe siècle ! —, mais elle dut attendre le XVIIIe siècle pour connaître son heure de gloire. Dans la période d'anarchie que traversait l'Iran à la chute de la dynastie séfévide apparut Karim khan Zend, qui, en 1750, prit le pouvoir avec le titre de « régent » *(vakil)* de Chiraz et entreprit de faire de sa capitale une rivale d'Ispahan. Sa plus belle réalisation est la mosquée du Régent, remarquable par ses faïences roses et bleues — où les branches de « l'Arbre de vie » se mêlent aux guirlandes de roses — et par sa salle de prière aux colonnes torsadées. Le bazar, refait lui aussi par le bon régent, est un des plus beaux de l'Iran, avec sa très haute galerie voûtée où les marchands suspendent leurs tapis. C'est aussi l'un des plus riches en couleurs, dans tous les sens du terme.

La province dont Chiraz est la capitale est sillonnée par les nomades Qashqais. Quand une de leurs tribus passe à proximité de la ville, les femmes envahissent le bazar pour se procurer les multiples tissus dont elles ont besoin. Car leur costume traditionnel n'est pas simple : il comporte une demi-douzaine de jupes, un corsage, de nombreux châles et un long turban, et toutes les pièces du vêtement sont d'une couleur différente, toujours vive. (Parfois, dans le dos, on voit apparaître, entre deux épaisseurs de tissu, la tête d'un nouveau-né.)

Vêtues comme on l'était avant l'irruption de la morale islamique, les femmes qashqais ne sont pas voilées. Est-ce la vue de l'une d'elles qui a inspiré à Saadi ces vers :

Heureux l'œil du mortel à l'astre fortuné
  Qui s'ouvre au jour naissant sur un pareil
    [visage !
L'homme enivré de vin se réveille la nuit,
  Mais l'enivré d'amour jour ou nuit ne
    [s'éveille.

Non, c'est l'« éclatante beauté » d'un jeune garçon... ■ Patrick de JACQUELOT

▲

La salle de prière de la mosquée du Régent, à Chiraz, est couverte d'une multitude de petites coupoles, ornées de carreaux de faïence à décor géométrique et portées par une forêt de piliers torsadés.
Phot. M. Fouteau

Ispahan, « moitié du monde »

Dans l'imagerie occidentale, Ispahan (ou Isfahān) est l'incarnation même de la ville des *Mille et Une Nuits*, avec ses splendeurs un peu mystérieuses : riche oasis dans le désert, dômes bleus des mosquées, minarets, palais. La fascination qu'elle exerce depuis le XVIIe siècle sur les voyageurs venus d'Europe n'est cependant pas due à un simple goût de l'exotisme : les Iraniens, qui considèrent Ispahan comme «la moitié du monde», y sont les plus sensibles. Tant il est vrai que l'on ne résiste pas à l'attrait de cette ville magique, dont le pouvoir de séduction reste intact bien qu'elle soit devenue un grand centre industriel et la deuxième agglomération du pays.

La gloire d'Ispahan est liée à celle de la dynastie des Séfévides qui, au XVIe et au XVIIe siècle, a fait connaître à la civilisation persane son âge d'or. C'était une cité déjà ancienne lorsque, en 1598, Abbas Ier y transféra sa capitale, précédemment installée à Qazvin. Il décida alors, écrit Pierre Loti, « de faire de cette ville [...] quelque chose qui étonnerait le monde. À une époque où, même en Occident, nous en étions encore aux places étroites et aux ruelles contournées, un siècle avant que fussent conçues les orgueilleuses perspectives de Versailles, cet Oriental avait rêvé et créé des symétries grandioses, des déploiements d'avenues que personne après lui n'a su égaler ».

Meilleur exemple de l'ampleur du dessin de la ville, l'avenue principale — le Tchéhar Bagh — s'étend, rectiligne, sur plusieurs kilomètres. Elle comporte deux voies pour la circulation, séparées par une large allée où les habitants viennent se promener à l'ombre des peupliers. Le long du Tchéhar Bagh (dont le nom signifie «Quatre Jardins») s'élevaient autrefois les palais du roi et des courtisans. Hôtels et magasins les ont remplacés, faisant de l'avenue la grande artère commerçante de l'Ispahan d'aujourd'hui. Mais le plan d'ensemble, d'une rare grandeur, n'est là que pour mieux mettre en valeur des mosquées et des palais qui comptent parmi les chefs-d'œuvre de l'architecture islamique.

Le monument le plus ancien d'Ispahan, et peut-être le plus intéressant à visiter, est la mosquée du Vendredi. Construite sur le plan iranien, elle comporte une vaste cour rectangulaire à quatre *iwans*, entourée de salles hypostyles qui lui permettaient de recevoir toute la population de la ville. Remontant, dans ses parties les plus anciennes, au XIe siècle, elle a été remaniée, embellie, transformée depuis, offrant ainsi une sorte de panorama de l'évolution des techniques architecturales et décoratives à travers les âges.

Le premier stade peut être observé dans les coupoles de la grande salle voisine de l'entrée réalisées uniquement en brique de couleur naturelle. Les effets décoratifs sont obtenus par la disposition de ces briques selon des motifs géométriques, différents pour chaque coupole : étoiles, rosaces, carrés, losanges... Le deuxième

stade, correspondant aux périodes seldjoukide et mongole (XIIe-XIVe s.), est illustré par les alvéoles tapissant l'*iwan* ouest : la couleur apparaît, mais d'une façon encore limitée. Des briques émaillées bleues ou noires dessinent des entrelacs sur le fond jaune des briques naturelles. Enfin, le troisième stade, où l'emploi de la couleur se généralise, est représenté par l'*iwan* sud, orné de mosaïques de faïence multicolore datant du XVe siècle.

▲
*Ispahan : typique de l'architecture religieuse iranienne, ce porche, si large et si profond qu'il constitue une véritable salle, est l'*iwan* sud de la mosquée du Vendredi, richement orné de mosaïques bleues et flanqué de minarets à décor géométrique.*
Phot. Michaud-Rapho

Cette technique de décoration polychrome s'épanouit dans les deux mosquées de la place Royale, cœur de l'Ispahan d'Abbas Ier. Imposant quadrilatère de 500 m de long sur 140 m de large, la place est entourée d'une double rangée d'arcades superposées. Celles du rez-de-chaussée s'ouvrent sur des magasins, alors que la rangée supérieure est purement décorative. L'enfilade des arcades n'est interrompue que par l'ouverture de quelques rues et par quatre monuments : la mosquée du Chah et la porte du bazar au milieu des petits côtés ; la mosquée du Cheikh Lotfollah et le palais Ali Qapou sur les grands côtés.

Une mosquée à l'image du paradis

Érigée à partir de 1612 par Abbas Ier, la mosquée du Chah est la réalisation la plus grandiose de la civilisation séfévide. Curieusement décalée par rapport à l'axe de la place Royale, afin d'être orientée en direction de La Mecque, elle lance vers le ciel ses quatre minarets et sa gigantesque coupole, culminant à 54 m au-dessus du sol. De la prodigieuse richesse de sa décoration — hormis les soubassements de marbre, il n'est pas un centimètre carré de la mosquée qui ne soit recouvert de céramique ou de mosaïque —, Loti donne une description lyrique : « Lorsqu'on arrive sous ce porche immense, on voit comme une cascade de stalactites bleues qui tombe du haut des cintres ; elle se partage en gerbes régulières, et puis en myriades symétriques de gouttelettes, pour glisser le long des murailles intérieures, qui sont merveilleusement brodées d'émaux bleus, verts, jaunes et blancs. » Dans la cour, on se sent flotter dans un monde couleur turquoise, entre le bleu des façades, le bleu du dôme, le bleu du ciel et leurs reflets dans le bassin central. C'est bien l'effet recherché par les constructeurs, désireux, explique l'historien de l'architecture Henri Stierlin, de représenter la « ville d'éternité » rêvée par les mystiques islamiques : par son architecture et sa décoration, la mosquée du Chah est une « image du paradis ».

Très différente, bien que construite à la même époque, est la mosquée du Cheikh Lotfollah. Conçue comme oratoire privé d'Abbas Ier, elle est de dimensions beaucoup plus modestes, sans cour ni minaret. Cette simplicité architecturale est compensée par une subtilité et un

raffinement sans égal de la décoration : si la mosquée du Chah est éblouissante, celle du Cheikh Lotfollah est délicieuse.

En face de son dôme à fond jaune, de l'autre côté de la place, s'élève l'étrange masse cubique de l'Ali Qapou. À l'origine simple porte du parc royal, ce bâtiment fut aménagé en véritable palais. Les chambres, minuscules, sont ornées de peintures sur plâtre dont la finesse rappelle celle des miniatures et des enluminures. Tout en haut, une salle voûtée est tapissée de niches en stuc destinées à doter d'une bonne acoustique une pièce utilisée pour les concerts.

La partie la plus intéressante de l'Ali Qapou est la vaste terrasse du premier étage, protégée par un plafond à caissons soutenu par 18 colonnes de bois. Agrémentée en son centre d'un bassin, cette tribune permettait au roi et à sa cour d'assister aux jeux, et notamment aux matchs de polo qui se déroulaient sur la place Royale. Si, malheureusement, le polo ne se pratique plus à Ispahan, le spectacle de la place, avec ses arcades, ses rangées d'arbres, ses bassins et les dômes de ses mosquées se découpant sur une ligne de montagnes, reste admirable.

Des palais du parc royal, dont l'Ali Qapou gardait l'entrée, seul demeure aujourd'hui celui des Quarante Colonnes. Édifié par Abbas II en 1647, ce pavillon doit son nom aux piliers qui, devant la façade, supportent un toit plat,

▲
Ispahan : la voûte du portail principal de la mosquée du Chah est ornée d'alvéoles et de stalactites tapissées de carreaux de faïence émaillée, dont les subtils entrelacs mettent en valeur la complexité de l'ensemble.
Phot. Loirat-C. D. Tétrel

◄
Dans la cour de la mosquée du Chah, à Ispahan, un grand bassin, destiné aux ablutions rituelles des fidèles, reflète le magnifique décor de céramique aux teintes délicates de l'iwan ouest.
Phot. Riboud-Magnum

▲
Chef-d'œuvre de l'art iranien, le majestueux portail de la mosquée du Chah se dresse dans l'axe de la place Royale d'Ispahan, alors que la mosquée elle-même, dont on aperçoit l'iwan méridional et le dôme azuré, est de biais, orientée vers La Mecque comme le veut la loi coranique.
Phot. Loirat-C. D. Tétrel

▶
Ispahan, mosquée du Chah : derrière l'un des deux minarets de l'iwan méridional, la coupole qui coiffe la salle de prière dresse à 54 m de hauteur son dôme majestueux, couronné d'un épi de cuivre.
Phot. M.-F. de Labrouhe

▶▶
Ispahan : la grande salle de prière de la mosquée du Chah est bordée, de chaque côté, d'une galerie entièrement revêtue de carreaux de céramique à décor floral.
Phot. Desjardins-Top

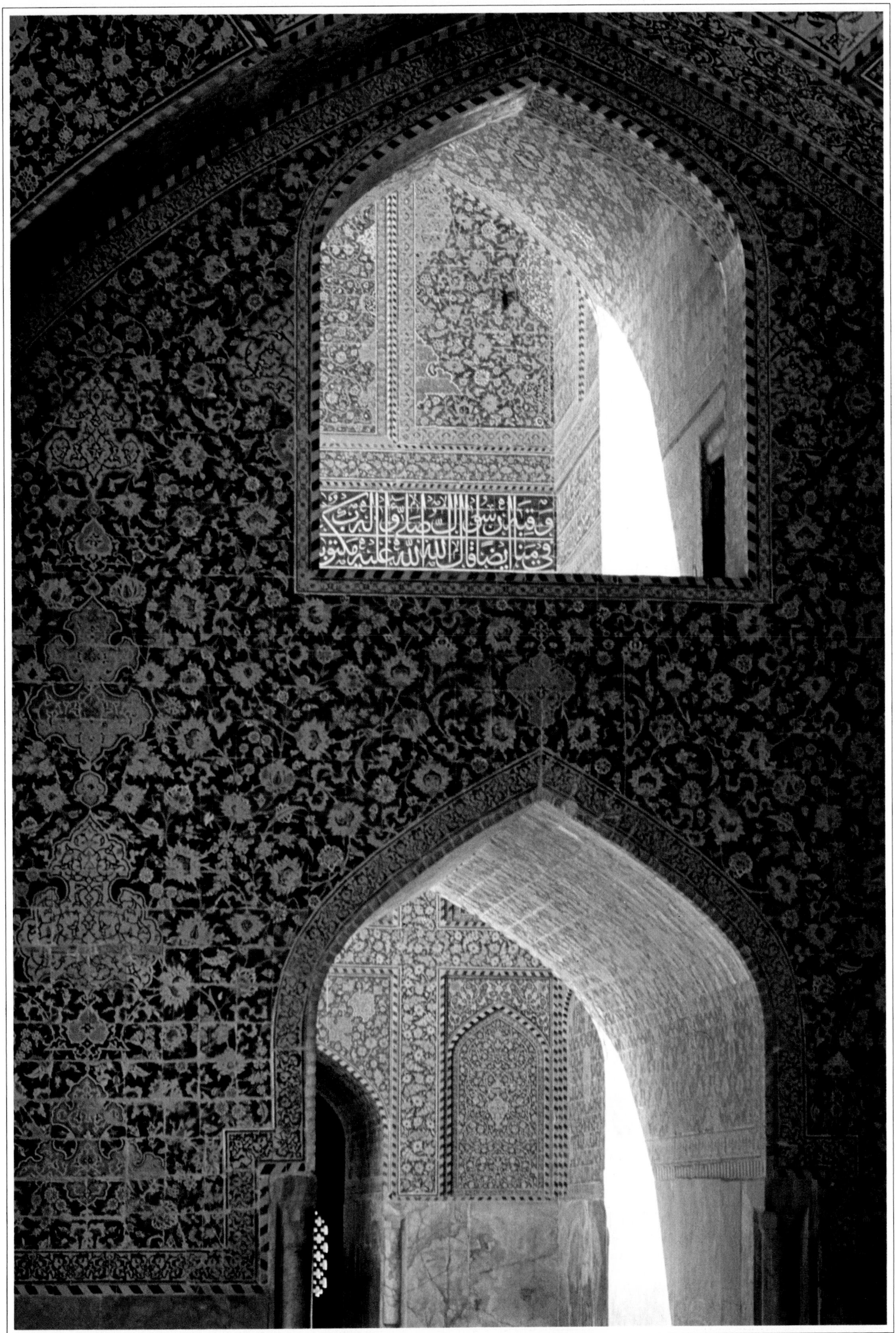

formant ainsi une de ces « salles en plein air »
si prisées par les Iraniens pendant les chaleurs
de l'été. Ces colonnes octogonales ne sont, à
vrai dire, qu'une vingtaine, mais l'esprit persan
n'a pas voulu faire de différence entre les fûts
de bois et leurs reflets dans la pièce d'eau qui
s'étend devant le palais...

Un peu plus loin, sur le Tchéhar Bagh, le
Hacht Behecht (« Huit Paradis »), construit en
1670, est un dédale de « niches et de cabinets »,
conçus, nous dit Jean Chardin, qui séjourna en
Perse au XVIIᵉ siècle, « pour les délices de
l'amour. Le grand luxe des Persans, précise-
t-il, est en leurs sérails, dont la dépense est
immense, par le nombre des femmes qu'ils y
entretiennent et par la profusion que l'amour
leur fait faire. » Les femmes y sont « entrete-
nues à la plus molle et la plus fine volupté ».

Tout autre est la destination de la *madrasa*
de la Mère du Chah, l'école où sont formés les
religieux chiites. Ses bâtiments sont intégrés à
un vaste ensemble, comprenant en outre un
caravansérail et un marché couvert : à l'origine,
les bénéfices de ces deux « entreprises commer-
ciales » étaient affectés à l'entretien des étudiants en théologie. C'est à la piété de la mère

du chah Soltan Husayn que nous devons ce
joyau, le dernier de l'art séfévide : en 1722, huit
ans après son achèvement, la dynastie s'écrou-
lait sous les coups des Afghans. L'école, avec
son jardin luxuriant, ses bassins, ses fins minarets et la bulle turquoise du dôme de sa
mosquée, est un prodige d'harmonie et de
délicatesse : du portail couvert de plaques
d'argent à la flèche de cuivre surmontant la
coupole, la beauté y règne sans partage.

▲
*Au troisième étage du palais Ali Qapou d'Ispahan, les
murs et le plafond de la salle de musique sont percés
de multiples alvéoles en forme de flacons, de bouteilles
et autres ustensiles, dont le rôle est autant acoustique
que décoratif.*
Phot. M. Levassort

▲
Ispahan : dans la madrasa *de la Mère du Chah,
ancienne école de théologie coranique, un groupe de
cheikhs (sages) en turban blanc écoute un* mollah
(prêtre) en turban noir.
Phot. Barbey-Magnum

l'Iran

Le rite du lavage des tapis

Au sortir de la *madrasa*, il suffit de marcher quelques minutes sur le Tchéhar Bagh, qui semble alors, par contraste, bien agité et bruyant, pour atteindre la rivière. Dans le prolongement de l'avenue, le pont Allahverdi khan, ou Si-o-seh Pol, long de 295 m, jette ses trente-trois arches au travers du cours d'eau. Il faut voir ce pont au coucher du soleil : prenant une couleur orangée sous sa patine séculaire, il semble alors jaillir du bleu transparent de l'eau et du vert-brun des roseaux.

Une boucle de la rivière plus loin, le pont-barrage du Khadjou étire ses deux étages d'arcades, flanquées de pavillons d'où le chah assistait aux fêtes et spectacles nautiques. À l'époque du nettoyage rituel du printemps, dans les semaines précédant la fin de l'année iranienne, la rivière, qui, à la hauteur du pont-barrage, n'a pas plus de 50 cm de profondeur, est le siège d'une activité fébrile.

Des tapis de toutes tailles, de toutes qualités sont étalés sous l'eau, retenus par de grosses pierres. L'hommage traditionnel consistant à étendre des tapis sous les pas des visiteurs, il semblerait que l'on honore ainsi le Zāyandeh Roud, la rivière dont la présence fait vivre Ispahan, ville-oasis... La cause première de cette pratique est plus prosaïque : lavés par

▲
Décalée par rapport à sa coupole blonde, la façade de la petite mosquée du Cheikh Lotfollah s'ouvre sur la place Royale d'Ispahan par un portail bleu et jaune dont la voûte à stalactites est particulièrement fouillée.
Phot. Charliat-Rapho

l'eau courante, les tapis sont ensuite tirés sur les rochers de la berge et brossés énergiquement. Quelle meilleure preuve pourrait-on trouver de la confiance qu'ont les Iraniens dans la solidité de leur production nationale ?

La capitale de l'artisanat

Les habitants d'Ispahan sont d'ailleurs particulièrement connaisseurs en matière d'artisanat : leur ville est restée le grand centre où se perpétuent les techniques traditionnelles. Si le tissage des célèbres tapis s'effectue souvent dans les villages des alentours, les autres travaux sont, comme il se doit, concentrés dans le bazar. Celui-ci, très vaste, s'ouvre au fond de la place Royale par une section « touristique », où les divers corps de métier peuvent être observés en plein travail. Les chaudronniers martèlent leurs plateaux de cuivre, avant d'y ciseler des rosaces qui rappellent aussi bien la décoration intérieure des coupoles des mosquées que le médaillon central des tapis.

Assis en tailleur sur le sol, un ouvrier imprime un *qalamkar :* sur une pièce de cotonnade beige ou blanche, il presse des blocs de bois, sculptés en relief et enduits d'encre, de façon à tracer les contours des motifs désirés. Il procède ensuite de la même manière pour appliquer les différentes couleurs. La décoration des *qalamkars*, très variée, peut atteindre une grande complexité. Dans l'échoppe contiguë, un miniaturiste évoque, sur un fragment d'os de chameau, tout un monde de courtisans, de musiciens et de danseuses. Peintes avec un cheveu en guise de pinceau, les scènes sont d'une telle finesse que les détails ne sont visibles qu'à la loupe.

Plus loin, les teinturiers, utilisant des recettes ancestrales, donnent à la laine brute des coloris éclatants. Derrière leur atelier, un petit escalier permet de monter sur le toit du bazar. Là, sur de longues perches, les lourds écheveaux de laine sèchent au soleil, taches rouges, noires ou vertes dans cet ensemble de terrasses couleur de sable, nouveau sol édifié 3 m au-dessus de l'autre. De ce toit aux dimensions d'une ville émergent quelques arbres, révélant la présence d'une cour ou d'un jardin, et, toujours, rayonnants et légers, les dômes des mosquées.

De l'autre côté de la rivière, à l'écart du centre de la ville, le quartier arménien fut créé par les habitants de Djolfā — une ville d'Azerbaïdjan —, amenés de force par Abbas Ier au début du XVIIe siècle. L'empereur, voulant faire profiter sa nouvelle capitale des talents et du sens commercial des infidèles, n'avait pas hésité à organiser un transfert de population massif. Le monument le plus curieux de la nouvelle Djolfā, cité chrétienne en terre islamique, est une cathédrale dont la décoration extérieure est inspirée de celle des mosquées, tandis que l'intérieur est orné de fresques évoquant l'art orthodoxe russe. Dans la cour de l'église, un musée arménien expose de merveilleux manuscrits enluminés et des objets du culte de toute beauté.

Haut lieu de la civilisation persane, œuvre d'art aux dimensions d'une ville, Ispahan n'est sans doute plus, et depuis longtemps, « la moitié du monde » : elle se contente, de nos jours, d'être la moitié de l'Iran.

L'aventure du pétrole

La région du golfe Persique est inhospitalière : l'été, la température dépasse couramment 45 °C, obligeant la population à se réfugier dans des caves pendant les heures les plus chaudes de la journée. L'aridité des terres bordant le golfe est telle que, aujourd'hui encore, des zones entières apparaissent en blanc sur les cartes géographiques. Sur la mer d'Oman, l'immense province du Baloutchistan, hérissée d'extravagantes formations rocheuses, n'est fréquentée que par les tribus baloutches, à peine contrôlées par les autorités de Téhéran. Dans le golfe lui-même, au désagrément de la chaleur s'ajoute celui de l'humidité provoquée par l'évaporation de l'eau de mer, qui transforme l'atmosphère en un véritable sauna.

Ces conditions de vie difficiles n'empêchent pas le golfe Persique de déborder d'activité, car peu de régions au monde ont une telle importance économique, et donc politique et militaire. Le golfe et les terres avoisinantes reposent sur le plus formidable gisement pétrolifère de la planète. L'Arabie Saoudite, l'Iran, le Koweït, l'Iraq et les Émirats arabes détiennent, dans leur sous-sol, les clés de l'économie de l'Europe occidentale, du Japon, des États-Unis et de bien d'autres pays. Aussi le golfe s'est-il transformé en exploitation pétrolière.

Sillonnées par les pétroliers géants venus du monde entier prendre leur chargement de précieux liquide, ses eaux se hérissent de structures bizarres : plates-formes de recherche, de forage, plates-formes-usines, plates-formes d'habitation. Les flammes colossales des torchères, où brûle le gaz s'échappant à l'air libre, projettent une lumière orange, tremblant dans la moiteur de l'air, sur le ballet des remorqueurs et des hélicoptères. Cette exploitation

▶

C'est du Talar, la grande terrasse aux sveltes colonnes de bois du palais Ali Qapou, que les souverains séfévides assistaient aux spectacles donnés sur la place Royale d'Ispahan. (Au fond, mosquée du Cheikh Lotfollah.)
Phot. G. Papigny

Double page suivante :
Campement de nomades dans les solitudes désolées des montagnes du Baloutchistan iranien, au pied du Kuh-é-Taftan, qui culmine à plus de 4 000 m, non loin de la frontière pakistanaise.
Phot. G. Papigny

▲
Ispahan : au-dessus des jardins fleuris et des luxueux bâtiments de l'hôtel Chah Abbas, on voit pointer le dôme bleu et les minarets à balcon ajouré de la madrasa de la Mère du Chah.
Phot. M. Fouteau

▲
Avec ses 24 arches et ses 132 m de longueur, le pont-barrage du Khadjou, construit par Chah Abbas pour irriguer les jardins environnants, est le plus connu des ponts qui franchissent le Zāyandeh Roud, la rivière d'Ispahan.
Phot. Boizot-Explorer

off shore prend de plus en plus d'importance, mais l'essentiel de la production vient encore de la province du Khuzestan, située au fond du golfe, à la frontière de l'Iraq. C'est là que, au début du siècle, a commencé l'aventure du pétrole iranien.

Au mois de mai 1908, l'équipe de prospecteurs anglais qui, depuis sept ans, s'épuisait en vain à rechercher du « naphte » dans le sud de l'Iran, s'apprêtait à abandonner ses travaux et à rentrer à Londres. Grâce à l'obstination d'un ingénieur, une dernière tentative fut faite à Masdjed Soleyman : le pétrole jaillit avec une force encore jamais vue. Dès lors, tout alla très vite. La production passa de 43 000 t en 1911 à plus de 1 million de tonnes en 1919, pour atteindre 10 millions de tonnes en 1937. Abadan vit surgir du sable une raffinerie qui devint rapidement l'une des plus importantes du monde. Les bénéfices — considérables — revenaient essentiellement aux Britanniques, suivant les termes du contrat léonin passé en 1901 avec l'un des derniers rois Qadjars.

Le mécontentement provoqué en Iran par cette exploitation des ressources du pays explosa en 1951 : Mossadegh nationalisa le pétrole. Dorénavant, la NIOC *(National Iranian Oil Company)* était seule propriétaire des gisements, et l'Iran profitait enfin de sa principale richesse. Lorsque, en 1973, l'Organisation des pays exportateurs de pétrole décida de quadrupler le prix de vente du baril, les revenus de l'Iran atteignirent la somme phénoménale de

18 milliards de dollars. Cela permit au pays d'entreprendre de grands travaux d'équipement (routes, voies ferrées) et de développer les activités de transformation du pétrole (raffinage, pétrochimie). Cinq ans plus tard, la production était de 300 millions de tonnes par an. Mais l'Iran sait qu'il ne bénéficiera pas toujours de cette manne : les réserves seront épuisées à la fin du siècle. Aussi le Chah avait-il prévu de doter le pays d'un impressionnant réseau de centrales atomiques, tout en s'efforçant, avec plus ou moins de bonheur, de mettre en place une activité industrielle capable de prendre la relève du pétrole d'ici à l'an 2000.

Avec ses forêts de derricks, son réseau de pipe-lines, ses raffineries et ses usines en chantier, le Khuzestan appartient bien au XXᵉ siècle. Mais, en Iran, le passé ne se laisse jamais oublier. À 100 km, à vol d'oiseau, de Masdjed Soleyman, les ruines de Suse, une ville âgée de six mille ans, sortent lentement de terre, grâce au travail de la mission archéologique française. Capitale de l'Élam au deuxième millénaire avant notre ère, puis de l'Empire achéménide, Suse fut une des cités les plus vastes et les plus riches du Moyen-Orient antique. Il faut aller au musée du Louvre, à Paris, pour retrouver, à travers frises et bas-reliefs, sa splendeur passée. Sur place, le champ de fouilles ne peut guère intéresser que les spécialistes.

Les guerriers du Kurdistan

Au nord du Khuzestan, le Kurdistan occupe une place à part dans l'ensemble iranien. La forte personnalité que cette région doit à ses paysages, mais aussi et surtout à sa population, apparaît peu à peu, à mesure que l'on y pénètre. À sa limite sud-est, Hamadān, dont la seule caractéristique est d'être la patrie adop-

tive d'Avicenne, médecin et philosophe du XIᵉ siècle, célèbre pour son *Canon de la médecine*, n'offre guère d'intérêt. Sur la route de Kermānchāh, à Bisotoun, une falaise ornée de sculptures du Vᵉ siècle av. J.-C., représentant le triomphe de Darius, ferme une plaine fertile.

Kermānchāh, avec ses 200 000 habitants, est une trop grande ville pour que les Kurdes y aient conservé toute leur individualité. Son bazar, qui escalade le flanc d'une colline abrupte par un réseau d'escaliers et de ruelles, est néanmoins fort curieux. À la sortie de la ville, les grottes de Tāq-é-Bostān sont ornées de superbes frises sculptées d'époque sassanide. La plus belle représente une chasse au sanglier : les rabatteurs, à dos d'éléphant, poussent une harde vers des marais où sont embusqués les archers, montés dans des barques.

La route qui monte vers le nord s'enfonce dans un univers de montagnes chaotiques, de cimes inaccessibles, de précipices, un monde d'où la notion d'horizontalité semble avoir disparu. La chaussée s'accroche à des pans de rochers, gagnant quelques mètres de hauteur au prix d'un virage en épingle à cheveux, avant de basculer au travers d'une pente vertigineuse. Entre les pics, des failles obliques révèlent d'autres lignes de crêtes, d'autres sommets. Face à ce paysage grandiose et cruel, on ne s'étonne plus que les Kurdes soient de redoutables guerriers. Leur vie d'errance dans la montagne et sur les hauts plateaux, à la suite de leurs troupeaux de moutons, les a préparés à tous les combats. Et les occasions de se battre n'ont pas manqué à ce peuple d'origine mal connue, qui, depuis toujours, occupe le centre du Moyen-Orient.

Divisés en tribus farouchement indépendantes, les Kurdes ont constamment été en rébellion contre les autorités nationales dont dépendaient leurs territoires. Éparpillés aujourd'hui principalement en Turquie, en Iraq et en Iran, ils ont profité des événements de 1979 pour faire resurgir leurs revendications à l'indépendance. Les Kurdes ne se sont en effet jamais assimilés, et ils entendent bien préserver leur mode de vie de toute influence arabe, iranienne ou occidentale. Pour découvrir leur culture dans toute son authenticité, il faut, comme toujours, s'écarter de la grande route et des sentiers battus. Une excursion à Takht-é-Soleyman en fournit l'occasion.

Expédition en pays kurde

En fait, le terme d'« expédition » convient mieux. À Takāb, gros bourg déjà situé à 50 km de la principale route traversant le Kurdistan, il est indispensable de louer une Land-Rover. Commence alors un trajet de trois heures sur ce qui ne peut même pas être appelé une piste : on se contente de suivre de son mieux les traces du véhicule précédent. Les bourbiers, les ornières de quarante centimètres de profondeur, les cailloux, les rivières traversées à gué, avec de l'eau à mi-hauteur des sièges, rendent épuisante cette progression effectuée à 10 ou 15 km/h. Les hommes rencontrés en chemin

▲
Coiffés du caractéristique bonnet kurde, trois gamins du Kurdistan contemplent leur village de pisé, que le soleil calcine durant la belle saison et que la neige isole du reste du monde cinq mois par an.
Phot. G. Papigny

▲
Jeune fille kurde. (Très attachés à leurs particularismes, souvent insoumis, les Kurdes sont un peuple d'éleveurs nomades dont le pays de montagnes et de hauts plateaux est partagé entre la Turquie, l'U.R.S.S., l'Iraq et l'Iran.)
Phot. G. Papigny

▶
Creusées dans la falaise aux environs de Kermānchāh, les grottes de Tāq-é-Bostān sont ornées de bas-reliefs qui sont peut-être les plus beaux témoignages de l'art à l'époque des Sassanides, dernière dynastie perse avant l'islamisation.
Phot. G. Papigny

grimpent à l'arrière de la camionnette, qui fait ainsi office d'autobus. Quand l'engin ne peut plus avancer, tout le monde pousse...

La récompense est à la hauteur de l'effort. Bientôt, en effet, on atteint de petits villages où rien ne semble avoir changé depuis des siècles. Sans électricité ni téléphone, coupés du monde cinq mois par an, la « piste » étant fermée par la neige, ces hameaux se composent exclusivement de petites maisons en pisé, blotties les unes contre les autres comme pour se réchauffer mutuellement dans les grands froids de l'hiver. Les moutons, guidés par des enfants, encombrent les ruelles. Ici, toute la population porte le costume traditionnel kurde. Les hommes sont vêtus d'une veste ajustée et d'un pantalon bouffant, taillés dans le même tissu sombre. Une large ceinture multicolore entoure la taille, et ils sont coiffés d'un turban garni de petites franges qui leur battent le front et les joues. Les femmes sont rutilantes : jupes, corsages et foulards, choisis dans les tons rouges et orangés, sont ornés de broderies dorées ou argentées.

Assis devant sa porte, un vieillard au visage raviné comme les montagnes de son pays boit paisiblement son thé. On l'imagine sans peine, au temps de sa jeunesse, le torse barré de cartouchières, un long fusil à la main, se glissant au fond d'un défilé, au retour d'une attaque contre un poste ennemi. Mais l'heure n'est pas à la bataille, et l'hospitalité est un devoir sacré. Aussi les étrangers sont-ils invités à partager le repas familial. Les enfants, en fait, n'y participent pas, mais la femme demeure avec les hommes en présence des visiteurs, signe évident d'un statut social supérieur à ce qu'il est habituellement en Iran.

La nourriture, en revanche, est la même que dans le reste du pays. Assis sur les tapis, on mange le *tchélo-kabab* (brochettes de mouton accompagnées d'une généreuse portion de riz) en roulant un peu de viande et de riz dans un morceau d'une large galette plate. En même temps sont servis des oignons et du *mast*, excellent yaourt fait à la maison. Le repas s'arrête le plus souvent là, mais il est parfois complété par des fruits. Dans une demeure particulièrement modeste, le déjeuner peut se composer uniquement de galette et d'oignons.

Le dernier verre de thé absorbé, on procède à la longue cérémonie des remerciements et des adieux. Après la charmante hospitalité kurde, il est bien difficile de repartir sur ces invraisemblables pistes. Mais Takht-é-Soleyman, le « Trône de Salomon », attend...

Au fond d'une vaste perspective de montagnes, un petit volcan, éteint depuis longtemps, s'adosse à une barrière rocheuse. Une source minérale emplit le cratère d'une eau limpide, d'un bleu lumineux. La pureté de ce lac parfaitement circulaire, au centre de ce paysage imposant, explique sans doute la fascination exercée par le site : Takht-é-Soleyman fut, pour tous les occupants successifs de la Perse, un lieu sacré. La légende y faisant naître Zarathoustra, les Sassanides lui vouaient une vénération particulière. Au IIIe siècle apr. J.-C., ils entourèrent le sommet du volcan d'une muraille flanquée de vingt-huit tours et édifièrent un temple du Feu au bord du lac. Pour évacuer le trop-plein de ce dernier, sept petits canaux se glissaient sous les blocs massifs de l'enceinte. Des vestiges de ces installations se dégage une atmosphère poignante. Aucun prêtre, aujourd'hui, n'entretient plus la flamme sacrée : avec ses ruines, son eau mystérieuse et la sauvage majesté de son site, Takht-é-Soleyman n'en garde pas moins, à travers les siècles, l'envoûtante aura des lieux magiques.

▲
Capitale religieuse du mazdéisme jusqu'au VIIe s., Takht-é-Soleyman (« Trône de Salomon ») fut édifiée autour du cratère d'un volcan éteint et ceinturée de remparts dont il subsiste d'importants vestiges. (Porte principale, surmontée de 7 niches.)
Phot. P. de Jacquelot

L'Azerbaïdjan
au carrefour des mondes

L'exceptionnelle position de carrefour de
l'Iran n'est nulle part aussi évidente que dans
la province d'Azerbaïdjan, limitée au sud par le
Kurdistan, à l'ouest par la Turquie, au nord par
l'U. R. S. S. et à l'est par la mer Caspienne. Le
bazar de Tabrīz, sa capitale, est une véritable
tour de Babel : Turcs, Arméniens, Turkmènes
et Kurdes s'y côtoient dans le brouhaha d'une
demi-douzaine de langues et de dialectes. En
Azerbaïdjan, la langue principale n'est pas le
persan, mais l'azéri, variante du turc. La néces-
sité de savoir marchander avec chaque client
dans son idiome d'origine a doté les commerçants de Tabrīz d'incontestables capacités lin-
guistiques : outre les langues de la région, ils
parlent souvent un peu d'anglais, de français,
d'allemand ou d'italien.

Cosmopolite, le bazar est bien fourni en
produits artisanaux de toutes sortes. Outre les
tapis de Tabrīz, justement réputés, on y trouve
des *batiks* (soies imprimées sur fond jaune ou
rouge), des *soumaks* (tissus brodés à la main
avec des brins de laine), des *varnis* (tapis
réalisés avec la même technique que les *soumaks*). Ces richesses ne sont qu'un pâle reflet

▲
*Avec ses 5654 m, le sommet enneigé du Qolleh-ye
Damāvand est le point culminant de la chaîne des
monts Elbourz, dont la haute muraille dentelée sépare
de la mer Caspienne les déserts salés du centre de l'Iran.*
Phot. Gerster-Rapho

▲
Les montagnes dénudées de l'Azerbaïdjan sont parse-mées d'oasis de verdure où la vie s'épanouit autour d'un point d'eau. (Environs du lac de Rezaiyeh.)
Phot. Gerster-Rapho

de celles d'antan. Au Moyen Âge, Tabrīz était le point de rencontre des caravanes venues d'Asie et d'Europe, et les marchandises des deux mondes s'y échangeaient. La ville s'ornait alors de monuments, détruits petit à petit par les tremblements de terre et les invasions. La mosquée Bleue (Masdjed-é-Kaboud), construite au XVᵉ siècle et réputée l'une des plus belles de Perse, est aujourd'hui dans un état lamentable. On y a heureusement entrepris un travail de restauration considérable. Mais Tabrīz n'a plus l'importance de jadis. Longtemps centre commercial et culturel de l'Iran, elle se résigne mal à n'être plus que la quatrième agglomération.

À partir de Tabrīz, il est possible de rayonner dans toutes les directions. Au sud-ouest, l'immense lac de Rezaiyeh étire sur 150 km ses eaux saturées de sel : on ne saurait s'y noyer ni s'y désaltérer ! Au-delà, non loin de la Turquie, un cirque de montagnes, à l'écart de la grande route, abrite Saint-Thaddée, le sanctuaire arménien. L'église fortifiée, construite en pierres noires, est une des plus anciennes de la chrétienté. Lieu de pèlerinage, elle rassemble, au mois de juillet, des milliers d'Arméniens venus du monde entier commémorer le martyre du saint. Car les Arméniens, comme les Kurdes, sont un peuple sans patrie. Écartelés entre l'Iran, la Turquie — où ils ont été victimes, au début du siècle, d'un véritable génocide — et la république soviétique d'Arménie, beaucoup ont préféré l'exil.

Dans la direction diamétralement opposée, à l'est de Tabrīz, Soltāniyeh offre, au bord de la

route de Téhéran, le plus bel exemple d'architecture mongole qui nous soit parvenu. Rien ne permettrait de reconnaître, en ce village misérable, la brillante capitale des successeurs de Gengis khan si le mausolée du roi Oldjaïtou Khodabendeh n'écrasait encore, de sa masse imposante, les maisons basses. Son dôme turquoise, entouré de colonnes, culmine à 59 m. L'extraordinaire décoration de stuc et de faïence est très dégradée, mais, là aussi, des travaux de restauration sont en cours. À la sortie du village, un autre mausolée mongol, tout simple, est fait uniquement de briques naturelles ; composé d'une tour octogonale surmontée d'une coupole, il est d'une pureté admirable.

Du pays des moutons au pays des buffles

De Tabrīz, une petite route se dirigeant vers le nord-est permet d'atteindre la frontière soviétique et la mer Caspienne. Elle traverse d'abord les hauts plateaux azerbaïdjanais, longues ondulations parfois cultivées — l'Azerbaïdjan est fertile —, plus souvent couvertes d'herbe jaune où paissent des troupeaux de moutons blancs et noirs. Un vent glacial, puissant, venu des montagnes enneigées toutes proches, rabote le paysage et assourdit le voyageur. Chaque hiver, la région est enfouie sous la neige durant

plusieurs mois. Pour se protéger du froid, les villages se fondent dans le sol, entre deux collines : on les repère grâce aux meules coniques de bouse, réserves de combustible, dont ils sont entourés.

À l'intérieur, on vit sous le *corsi*. Le sol d'une pièce carrée est entièrement garni de matelas ou de tapis, le centre étant occupé par un petit poêle bas. L'ensemble est recouvert d'une unique couverture aux dimensions de la pièce. La chaleur se conserve ainsi au ras du sol et l'on attend, couché, la fin de l'hiver... Dans cette rude province, les mœurs restent traditionnelles. La polygamie, quasiment disparue en Iran, bien qu'elle soit encore légale, y a toujours des adeptes.

Les habitants du plateau s'approvisionnent à Ardabīl, petite cité proche de la limite septentrionale du pays. Ville natale de Chah Ismail, fondateur de la dynastie Séfévide, elle garde de cette époque un fort beau monument, le mausolée de Cheikh Safi, caractérisé par la curieuse juxtaposition de trois coupoles de hauteur, de décoration et de diamètre différents. Un vieux *mollah* fait visiter les salles obscures aux parois enluminées jusqu'au vertige, au sol couvert de tapis infiniment anciens. Une grille d'argent massif protège le tombeau du cheikh, fait de bois ciselé, incrusté de calligraphies d'ivoire.

Au sortir d'Ardabīl, la route traverse encore le haut plateau sur une trentaine de kilomètres avant d'atteindre un col. Aussitôt celui-ci franchi, le paysage change du tout au tout. Après

l'Iran

▲
Entourée de bâtiments en ruine, l'église fortifiée du monastère arménien de Saint-Thaddée, dont la partie la plus ancienne remonte au Xᵉ s., est un lieu de pèlerinage pour l'une des plus importantes minorités chrétiennes de l'Iran.
Phot. G. Papigny

l'austère grandeur de l'Azerbaïdjan, voici les forêts, les pâturages et les torrents ; après les villages en terre, voici les maisons en bois, avec de vrais toits à double pente ; après l'Asie centrale, voici la Suisse ! La piste descend, par une interminable série de lacets, des 1 200 m d'altitude d'Ardabīl jusqu'à la Caspienne, elle-même située à 20 m au-dessous du niveau de la mer. Accrochée au flanc abrupt d'une vallée, elle longe la frontière soviétique et son étonnant réseau de fortifications : murs de barbelés, miradors, camps militaires. Au terme de la descente, quelques kilomètres de plaine et, tout de suite, la Caspienne, avec ses rouleaux déferlants sur des plages de sable, son vent et son odeur semblables à ceux de toutes les mers du globe...

La région de la Caspienne n'a aucun point commun avec le reste de l'Iran. Coincée entre la mer et les monts Elbourz, dont les sommets arrêtent les nuages venus du nord, la bande côtière bénéficie d'une humidité presque aussi excessive que la sécheresse l'est partout ailleurs. La végétation y est luxuriante. Une véritable forêt vierge, impénétrable, couvre les pentes des montagnes, hantée par des loups, des panthères, des ours et même, dit-on, quelques tigres. Plus civilisée, l'étroite plaine est le grenier de l'Iran : on y cultive le riz, le thé, le coton, la canne à sucre, des fruits et des légumes. Au printemps, les villes disparaissent sous une formidable éclosion de fleurs. Les maisons paysannes sont en bois, couvertes d'un grand toit de chaume descendant presque jusqu'au sol. Les femmes, vêtues d'un pantalon serré aux chevilles sous une jupe et un corsage bigarrés, travaillent, courbées en deux, dans l'eau des rizières, sous l'œil indifférent de quelques buffles. Comment ne pas songer, bien loin du désert et de ses oasis, aux pays de l'Asie du Sud-Est ?

Caviar et bains de mer

Et puis, il y a la mer. Une mer fermée, le plus vaste lac du monde, en somme. Mais un lac dont les eaux seraient plus salées que celles

des océans et sur lequel se déchaîneraient de brutales et dangereuses tempêtes. Les pêcheurs qui s'y risquent sur leurs petites embarcations rudimentaires ne manquent pas de courage... Parfois, une méthode de pêche plus sûre, mais plus laborieuse, est utilisée : sur une plage, une vingtaine d'hommes, arc-boutés le long d'une corde, halent, centimètre par centimètre, un interminable filet dont la courbe se perd au loin, dans les eaux grises. Amener ce filet à terre peut exiger plusieurs heures d'efforts, pour une prise pas toujours abondante.

Poisson-roi de la Caspienne, l'esturgeon, avec son « nez » pointu, mesure de 2 à 3 m de long. Les restaurants du bord de mer servent sa chair sous forme d'excellentes brochettes, mais il doit sa notoriété au caviar, les œufs extraits du ventre de la femelle et salés selon un dosage rigoureux : la saveur des gros grains noirs fondant sur la langue est incomparable.

Très supérieur au produit russe, le caviar iranien est unique au monde. Sa production est concentrée à Bandar-é-Pahlavi, le plus grand port iranien de la Caspienne. Dans sa rade viennent s'abriter les petits cargos qui assurent les échanges avec l'Union soviétique. Sur la jetée, aménagée en jardin public, la population de la ville vient, le soir, respirer l'air de mer. Les matelots en permission s'agglutinent devant les stands de tir à la carabine, dont les cibles sont de grandes photos de femmes, découpées dans des magazines américains. Le fond du port communique avec une lagune où d'innombrables petites îles, couvertes de roseaux, forment un véritable labyrinthe, refuge de milliers d'oiseaux. S'y promener en barque, au printemps, quand le marais est en fleurs, est un enchantement.

Au-delà de Bandar-é-Pahlavi, les belles propriétés des riches Téhéranais et les stations balnéaires se succèdent, bloquant systématiquement l'accès au front de mer. La station la plus élégante, Rāmsar, où des jardins luxuriants

entourent hôtels et casino, est édifiée dans un cadre merveilleux : la plaine côtière, à cet endroit, se réduit au minimum, la montagne tombant presque directement dans la mer.

Une ville sainte dans la steppe

Le nord-est de l'Iran, de la Caspienne à l'Afghanistan, marque le début des grandes steppes de l'Asie centrale. C'est le domaine des Turcomans (ou Turkmènes), peuple nomade en cours de sédentarisation. Leur teint jaune et leurs yeux bridés les distinguent nettement des autres Iraniens, dont ils furent longtemps les ennemis implacables. À Pahlavi Dej se tient chaque jeudi leur marché aux chevaux : les descendants des terribles cavaliers qui lançaient des raids meurtriers contre les cités persanes y choisissent, comme autrefois, leurs montures. On y trouve aussi les tissages traditionnels rouge et noir et des bijoux en argent. Un peu à l'écart du village sont plantées deux ou trois yourtes : ces tentes rondes, constituées d'une armature en bois tendue de feutre, étaient encore, il y a quelques dizaines d'années, le seul mode d'habitation connu des nomades turcomans.

À une centaine de kilomètres de là, un prince du XIe siècle fit édifier à Gonbad-é-Qabous, en guise de tombeau, une énorme tour de 63 m de haut. Bâti en brique, cet étrange cylindre, coiffé d'un petit toit conique, est entièrement vide : il ne comporte ni étage ni escalier. La dépouille du prince, affirme la tradition, reposait dans un cercueil de verre, suspendu par des chaînes au sommet de la tour.

Non loin de la frontière afghane, Meched, troisième ville de l'Iran, est avant tout la cité sainte du chiisme. À ses 410 000 habitants

Femme turkmène. (Jadis nomades, vivant sous la yourte dans les steppes de l'Asie centrale, les Turkmènes sont de plus en plus sédentaires, et beaucoup se fixent sur les bords de la Caspienne.)
Phot. G. Papigny

▲
Les habitants de Téhéran viennent chercher un peu de fraîcheur et de verdure sur la côte basse et sablonneuse de la mer Caspienne.
Phot. Michaud-Rapho

s'ajoutent, en permanence, plusieurs dizaines de milliers de pèlerins. Lors des principales fêtes religieuses, la population de la ville peut doubler, ou même tripler : les fidèles dorment alors sur les trottoirs. Cette foule bigarrée est fascinante par son animation — qui tourne parfois à l'exaltation — et par la diversité des hommes et des costumes, originaires de toutes les provinces de l'Iran, ainsi que de l'Iraq, de l'Afghanistan et du Pakistan. Nombre de pèlerins, très pauvres, ont dû économiser longtemps avant de venir ici, mais tout bon chiite a le devoir de se rendre au moins une fois auprès du tombeau du saint imam Riza pour y faire ses dévotions.

Meched n'existait pas en 818, quand Riza, le huitième des douze imams, mourut, sans doute empoisonné, alors qu'il traversait la région. Il fut enterré sur place, et son tombeau fut l'objet d'une telle vénération qu'une ville ne tarda pas à se développer. Elle devint même pour un temps, vers le milieu du XVIIIᵉ siècle, la capitale de la Perse.

Principal objet des sollicitudes royales, le sanctuaire de l'imam fut agrandi et embelli à toutes les époques. Ensemble de mosquées, d'écoles, de bibliothèques, coiffé de dômes et de minarets, il se dresse au centre d'une vaste place circulaire où s'assemblent les fidèles. À l'heure de la prière, ceux-ci pénètrent à l'intérieur de l'enceinte, se pressent dans les salles tapissées de milliers de fragments de miroir, se bousculent à l'entrée du sanctuaire proprement dit, éblouis par son ornementation de pierres précieuses et de plaques d'or et d'argent ciselées. La vertigineuse cohue des pèlerins s'écrase enfin contre la grille d'argent massif qui protège le tombeau, dans un effort désespéré pour toucher celui-ci. Il n'est point, en effet, de meilleur gage de salut !

Le touriste infidèle, quant à lui, ne peut bénéficier de cette chance de béatitude éternelle, ni même des trésors artistiques du sanctuaire : l'accès lui en est strictement interdit.

L'homme et le désert

Loin au sud-ouest, loin du monde, loin de tout, en plein désert mais entourée d'une oasis qui produit les meilleures dattes du pays, Bam rêve aux jours glorieux d'autrefois. La ville morte, abandonnée depuis cent cinquante ans, réserve au visiteur les plus fortes impressions de son voyage. Comment ne pas être envoûté par cette cité fantôme ceinte d'épaisses murailles, par ces ruines chaotiques où l'on retrouve maisons, bazar et mosquées ? On a vite fait de s'égarer dans ce paysage hallucinant : un pas en dehors de l'artère principale, et on ne sait plus si on est à l'intérieur d'un édifice dont le toit s'est effondré, ou dans une ruelle à demi comblée. Saisi par cette atmosphère de désolation, on ne s'étonnerait pas de voir surgir quelque guerrier en armes, quelque barbare au sabre levé. On n'aperçoit, en fait, que des renards et des corbeaux, s'enfuyant devant le bruit des pas dans les éboulis.

Au-dessus de la ville, perchée sur un piton rocheux, la citadelle monte la garde. Dédale de cours, d'escaliers, de chemins de ronde, de passages souterrains, elle oppose son enceinte crénelée, son chapelet de tours, ses fortins avancés à l'étendue grise, sinistre, du Dacht-i-Lut. Le Grand Désert salé, sapant lentement le pied de la muraille, est bien certain d'avoir, un jour, le dernier mot ■ Patrick de JACQUELOT

Page suivante :
Vue du donjon de la citadelle, la ville morte de Bam, abandonnée depuis cent cinquante ans, est un dédale de ruelles sombres, de portes béantes, de murs écroulés et de coupoles effondrées.
Phot. F. Kohler

Au centre de Meched, une des deux villes saintes du chiisme, une enceinte sacrée (haram), interdite aux infidèles, rassemble plusieurs mosquées, des madrasas et un musée autour du dôme doré sous lequel repose le saint imam Riza.
Phot. Gerster-Rapho

Le dôme recouvert de cuivre doré du mausolée de l'imam Riza se profile au-dessus des arcades superposées qui entourent la vaste cour de la mosquée de Gohar Chad, le plus bel édifice du sanctuaire de Meched.
Phot. Barbey-Magnum

l'Iran

l'Iraq

Avec une étroite fenêtre sur le golfe Persique, les déserts de la Syrie et de l'Arabie Saoudite à l'ouest et au sud-ouest et la barrière des montagnes turques et iraniennes au nord et à l'est, l'Iraq paraît, au premier abord, mal à l'aise. C'est oublier qu'il doit son existence et sa personnalité à deux fleuves, le Tigre et l'Euphrate, qui figuraient déjà sur la plus vieille carte du monde, gravée sur une tablette d'argile vers l'an 3800 av. J.-C.

Ces deux fleuves prennent naissance dans le massif arménien à peu de distance l'un de l'autre. Le Tigre se fraie un passage à travers les montagnes de Turquie, puis creuse sa vallée le long des contreforts des monts d'Iran. Avec la fonte des neiges, au printemps, il charrie 53 p. 100 du volume annuel de ses eaux en moins d'un trimestre, pendant les mois de mars, d'avril et de mai.

L'Euphrate est tout autre. Parti vers la Méditerranée, il vire subitement de bord à 130 km de la côte et s'engage dans une longue traversée du désert de Syrie. Il en sort débilité, se rapproche du Tigre qui pourrait lui redonner de la vigueur, mais ne se décide à rejoindre celui-ci qu'à Al Qurnah : à 110 km de la mer, les deux fleuves s'unissent enfin pour former le Chatt al Arab et se jeter de concert dans le golfe Persique.

La civilisation de la Mésopotamie — la première du monde — est née de ces deux fleuves, dont les différences de niveau permettaient d'irriguer artificiellement une région que les crues dues à la fonte des neiges ne suffisaient pas à fertiliser. Creuser et entretenir les canaux a toujours été considéré comme un devoir par les rois sumériens et assyriens. Lorsque les Abbassides, contemporains de Charlemagne,

restaurèrent ces canaux après des siècles d'abandon, ce fut de nouveau la prospérité. Bagdad devint la capitale fabuleuse d'un fabuleux empire, et la splendeur de Babylone nous est restée en mémoire.

Mais le sabre des Mongols, bientôt suivi par la botte des Turcs, fit retourner l'Iraq au désert. Il fallut que le pays devienne indépendant pour prendre sa destinée en main : c'est seulement depuis 1956, date de la mise en service des barrages de Samarra, Altherthar et Ramadi, que la Mésopotamie connaît un renouveau, dû à la régularisation du régime de ses fleuves nourriciers. Avec 12 millions d'habitants, l'Iraq vient seulement de retrouver le chiffre de population qu'il avait aux alentours de l'an 1000. Ajoutez à cela quelque 110 millions de tonnes de pétrole par an et la volonté d'entrer en force dans le XXIe siècle.

▲
Construit en briques cuites au IVe s. de notre ère, l'«arc» de Ctésiphon formait, comme les iwans des mosquées, un gigantesque porche qui servait de salle du trône aux rois sassanides.
Phot. Morath-Magnum

Le Sud,
paradis perdu et retrouvé

En Mésopotamie, on a donc commencé à parler d'eau très tôt. Au point de remonter jusqu'au déluge... Les scribes sumériens situent ce phénomène avant le IIIe millénaire av. J.-C. : dans le premier poème épique du genre humain, l'épopée de Gilgámesh — personnage historique, puisque roi de Sumer vers 2700 —, on apprend qu'un certain Outa Napishtim avait échappé au cataclysme en construisant une

arche. Il révéla à Gilgamesh le secret de la plante qui le rendait immortel. Gilgamesh trouva cette plante, mais la déposa au bord d'un ruisseau pour se baigner. Un serpent la lui vola, privant ainsi notre héros de l'immortalité. Voilà préfigurés, sans équivoque, l'Adam du paradis terrestre et le Noé de l'arche.

Aux alentours de 1930, sir Leonard Woolley, en creusant à Ur une tranchée de 15 m de profondeur, découvrit, sous une bonne épaisseur de tessons, un dépôt d'argile, auquel succédait une couche de débris et d'objets en pierre taillée révélant une occupation. Un autre sondage confirma la stratigraphie : la couche d'argile, épaisse de plus de 2 m, ne pouvait être due qu'à une gigantesque inondation.

L'explication la plus plausible du phénomène semble être celle de l'Allemand Werner Nutzel : vers 3500 av. J.-C., une période tempérée aurait provoqué la fonte des glaciers et l'élévation du niveau du golfe Persique, qui ne dépasse pas une centaine de mètres de profondeur. Phénomène très spectaculaire, qui aurait hanté la mémoire des premiers occupants de la Mésopotamie au point de passer dans les textes bibliques. Quant au paradis terrestre, on le situe près d'Al Qurnah, où le Tigre et l'Euphrate se réunissent dans un paysage hors du temps, fait d'eau, de ciel, de roseaux et de palmiers.

Le paradis perdu n'a été retrouvé que très tard. La région de marais qui s'étend sur quelque 10 000 km² à l'est du Tigre, entre les deux fleuves, au sud de l'Euphrate et à l'ouest du Chatt al-Arab, est demeurée, jusqu'au milieu du XXe siècle, *terra incognita*. Quelques rares voyageurs avaient fait des observations sur les populations, mais sans pénétrer réellement au cœur des marais. Il fallut attendre les séjours que Wilfred Thesiger y fit à partir de 1956 et la publication d'un livre en 1964 pour que l'attention soit attirée sur cette région et sur ses habitants. Connus sous le nom de Me'dan (ou Maadan), ceux-ci appartiennent à diverses tribus — Beni Assad, Bani Umair, Al Bo Bakhit, Shadda, Shaghonba, Al Hasan — ayant en commun un mode de vie très particulier.

Les Me'dan construisent leurs maisons au milieu du marais, soit sur un ancrage de terre

ferme, soit en fabriquant une plate-forme de roseaux. Ces maisons *(moudhif)* sont tout à fait semblables à celles des Sumériens, dont le modèle nous a été transmis par des bas-reliefs datant du IIe millénaire. Une armature de bottes de roseaux forme des arceaux sur lesquels sont fixées des nattes. Au centre de la façade, la porte s'ouvre entre deux piliers de roseaux, et des piliers semblables contre-butent les angles et les côtés de la construction. La

◄
Avec des roseaux liés en bottes et savamment assemblés, les habitants des marais construisent de vastes demeures voûtées, dont l'architecture n'a pas varié depuis la plus haute antiquité.
Phot. C. Kutschera

partie inférieure, jusqu'à hauteur d'homme, au moins pour la façade et le fond, est faite de claies qui laissent filtrer l'air et la lumière. Au-dessus, une partie pleine est surmontée de treillages serrés, avec une ouverture à claire-voie surmontant la porte. Certaines de ces constructions peuvent atteindre 5 m de haut, et les maisons communes ont 30 m de long.

Il faut une centaine d'hommes et une vingtaine de jours pour édifier une de ces cathédrales de roseaux. Des cathédrales à la nef voûtée, au sol couvert de nattes, dont l'ameublement se limite à une rangée d'im-menses cafetières de cuivre, aux énormes becs d'oiseaux de proie. C'est dans cette salle com-mune, admirable de proportions et de simpli-cité, que vivent les Me'dan.

Ils passent plus de temps encore sur leurs embarcations, les longues *turrada* noires, qui ressemblent à des gondoles. Debout, une femme couverte de voiles noirs fait glisser la barque entre les roseaux à l'aide d'une perche. Debout également, le pêcheur, armé d'un immense trident, campe la figure de proue. Au pied des maisons, les enfants vivent dans l'eau avec leurs buffles. Les paysans des marais vont en *turrada* couper les roseaux, chasser les énormes san-gliers qui détruisent les rizières. Ils parcourent les canaux principaux sur d'antiques embarca-tions entraînées par un vieux moteur de camion ;

▲
Grâce à son fond plat et à sa proue effilée, qui lui permet de se glisser entre les roseaux, la longue turrada *noire est une embarcation passe-partout, avec laquelle la population des marécages vaque à toutes ses occu-pations.*
Phot. J.-C. Chabrier

l'Iraq

3

sur le toit, assis dans un fauteuil couvert d'une peau de mouton, un vieillard ou un enfant de dix ans fait office de capitaine.

Les lacs succèdent aux forêts de roseaux ; les habitations flottent entre ciel et eau ; les oies de Sibérie passent en troupes compactes. Flamants, hérons, pélicans, martins-pêcheurs peuplent cet univers où l'homme et la nature vivent dans l'harmonie d'un premier matin du monde.

◄ Tête d'albâtre d'époque sumérienne (IVᵉ-IIᵉ millénaire av. J.-C.), baptisée dame de Warka ; des pierres de couleur étaient enchâssées à l'emplacement des yeux et des sourcils. (Musée de l'Iraq, Bagdad.)
Phot. C. Lénars

Les plus vieilles villes du monde

La rencontre furtive, à la fin du XIXᵉ siècle, des Me'dan et des archéologues a conduit à enseigner, dans les universités, que la civilisation mésopotamienne était née dans des huttes de roseaux. C'est peut-être vrai pour les cultures découvertes au nord de l'Iraq (Hassuna, Samarra), mais non pour celles du Sud, où les constructions en dur apparurent dès l'époque la plus reculée.

Éridou est située à la lisière des marais. Nombre de spécialistes la tiennent pour la plus vieille ville du monde. On y a dégagé 18 temples aux niveaux 15 à 18, datant du Vᵉ millénaire. Ces sanctuaires, composés d'une salle rectangulaire divisée en deux parties — narthex et chœur — et dotés d'une cella (loge) pour l'autel, adoptent une disposition qui s'est perpétuée jusque dans la tradition chrétienne.

Ur est séparée d'Éridou par une vingtaine de kilomètres de paysage lunaire. En y arrivant, on est presque réconforté en découvrant la *ziggourat*, masse imposante et familière de tout site mésopotamien. On pense que le but de ces

espèces de pyramides à étages était d'offrir au dieu Nannar un point d'amarrage pour son vaisseau spatial, lorsqu'il venait visiter le commun des mortels. Constitués d'un massif de briques crues et d'un revêtement de briques cuites, ces édifices nous sont parvenus en ruine. La *ziggourat* d'Ur, restaurée, domine la ville qui vit naître Abraham.

La visite des sites les plus anciens exige un sérieux effort d'imagination : la superposition et les modifications des édifices brouillent souvent la «lecture» des niveaux, qui, pour une ville comme Ourouk — l'Erech de la Genèse et l'actuelle Warka —, s'étagent de la protohistoire mésopotamienne jusqu'aux époques hellénistique et parthe : les archéologues ont mis au jour 18 niveaux jusqu'au sol vierge. Là ont été découvertes les premières traces d'écriture, d'extraordinaires «tapisseries» de mosaïques couvrant murs et colonnes, des vases ornés de reliefs, des sceaux en forme de cylindre et des

▲
Vieille de près de deux mille sept cents ans, la porte crénelée d'Ishtar, ornée d'animaux sacrés en relief, est un des rares vestiges de l'enceinte qui entourait jadis Babylone.
Phot. J.-C. Chabrier

Escalier monumental conduisant au premier étage de la ziggourat d'Ur, massive pyramide de brique qui comportait six ou sept niveaux, au sommet desquels un petit temple accueillait le dieu Nannar quand celui-ci descendait sur terre.
Phot. C. Kutschera

Bagdad,
capitale depuis toujours

Comme Babylone, Bagdad est un nom qui fait rêver. Libéré de la domination sassanide par les armées arabo-islamiques, l'Iraq connut, sous le califat abbasside, une grande prospérité. Harun al-Rachid entretint des relations avec Charlemagne. Son fils et successeur, al-Ma'mun, savant et homme de lettres, fonda une école de traducteurs. Ceux-ci étaient rétribués par le poids en or du livre traduit. Cela permit le sauvetage d'œuvres de l'Antiquité, qui, sans ces traductions, ne nous seraient pas parvenues, les manuscrits plus anciens ayant disparu. La médecine et l'astronomie firent des pas de géant. Les voyageurs s'émerveillaient du luxe de Bagdad, mais l'Europe ne découvrit toute la subtilité de celui-ci qu'au début du XVIIIe siècle, lorsque Antoine Galland publia en France la première traduction des *Mille et Une Nuits*.

En réalité, la Bagdad des *Mille et Une Nuits* disparut le 20 février 1258, quand Hulagu, à la tête de ses Tartares, rasa la ville. On fit des trophées de têtes de poètes et de savants. Les flots du Tigre coulèrent rouges du sang de centaines de milliers d'habitants. Le lendemain, ils étaient noirs de la cendre des bibliothèques.

Les rares vestiges qui nous sont parvenus n'en sont que plus précieux : restes du palais des Abbassides, *madrasa* (école) Mustansiryya (peut-être la première université du monde), *madrasa* Mirdjaniyya. Les *khans* (caravansérails) ont disparu plus récemment, à la suite de travaux d'urbanisme, comme le *khan* Khodr Elias, le *khan* du Pétrole et celui des Douanes. Seul subsiste, dans toute sa splendeur, le *khan* Marjan, qui vient d'être restauré et transformé par le Département du Tourisme en un restaurant de standing, véritable havre de paix au cœur du vieux Bagdad, à deux pas de la rue al-Rachid, l'artère la plus vivante de la capitale.

Spectacle aussi fascinant que déconcertant. Cette rue a été ouverte, en 1916, par un gouverneur turc. Ses arcades abritent de merveilleuses pâtisseries spécialisées dans les gâteaux de mariage (de vraies tours de Babel), de petits cafés aux tables et aux bancs peints en blanc, de vieux hôtels dont les jardins donnent sur le Tigre, des passages qui font office d'ateliers de confection, des garages et des boulangeries, des cinémas ornés de décors naïfs. Les gros autobus rouges à impériale qui passent le long des colonnes ajoutent au caractère désuet de cette artère, où surgissent cependant, çà et là, quelques buildings ultra-modernes.

La mutation est plus ordonnancée et plus heureuse dans les quartiers neufs ou place de la Liberté — le cœur de la ville —, avec des passages piétonniers en sous-sol, donnant sur un parc à ciel ouvert. Les architectes de Bagdad ne se sont pas inspirés servilement du style «international», mais ils ont cherché à définir une expression qui leur soit propre.

Des réalisations — telles la nouvelle poste et la maison des syndicats — utilisant avec

---

objets énigmatiques, comme la tête de femme en pierre blanche qui fait l'orgueil du musée de l'Iraq, à Bagdad.

En fait, la pierre a fait cruellement défaut à la Mésopotamie, de même que le bois. Cependant, à Ur, de petits temples, des rues et les tombeaux des rois ont été miraculeusement préservés. C'est dans ces tombes royales que Woolley découvrit les cadavres des soldats, musiciens et dignitaires sacrifiés pour accompagner leur maître dans l'au-delà. C'est également de là que proviennent la harpe à tête de taureau (début du IIIe millénaire) et les bijoux du musée de l'Iraq, objets évocateurs d'une civilisation beaucoup plus évoluée que celle de l'Égypte à la même époque.

C'est d'ailleurs dans ce musée, mieux que sur place, que l'on peut apprécier le raffinement de ces cités : statues de diorite du gouverneur Goudéa, provenant de Tello (Lagash) ; adorants aux yeux immenses trouvés à Tell Asmar ; parures royales d'Ur ; vases rituels et mosaïques d'Ourouk ; déesses mères d'El-Obeïd. Dans ce même musée, un autre chef-d'œuvre : une tête de bronze, que l'on pense être celle de Sargon, l'officier qui, le premier, vers 2300 av. J.-C.,

fédéra les cités rivales et créa l'empire d'Akkad, qui s'étendit de la Perse au Moyen-Orient. Sargon était un Sémite. Deux siècles plus tard, des peuplades venues du haut plateau iranien régnaient à Babylone.

La Babylone de la tour de Babel (une *ziggourat* à sept étages) et des jardins suspendus de Sémiramis (créés, croit-on, par un empereur pour divertir sa jeune épouse mède, qui regrettait les montagnes de son pays natal) n'existe plus. C'est à peine si l'on reconnaît le tracé de l'énorme enceinte qui enserrait la ville déployée sur les deux rives de l'Euphrate. Seuls quelques éléments permettent d'évoquer la grandeur de la cité d'Hammourabi, celle dont Alexandre le Grand fit la capitale de son empire asiatique et où il mourut en 323 av. J.-C. : la porte d'Ishtar, encore haute de 12 m et ornée d'animaux sacrés en relief ; le palais de Nabuchodonosor ; la Voie processionnelle ; le lion de Babylone, énorme bloc d'une dizaine de tonnes, rapporté comme butin d'une lointaine expédition en pays hittite (l'actuelle Anatolie, en Turquie). Ce sont les archéologues allemands qui redécouvrirent Babylone. Ils ne la quittèrent qu'en 1917, devant l'avance du corps expéditionnaire britannique.

▲

Ornés de faïence polychrome à la mode persane, la coupole et le minaret de la mosquée chiite de Basra (Bassorah) dominent le quartier toujours animé des souks.
Phot. C. Lénars

▶

Partiellement enterré, le minaret de la mosquée des Califes, qui s'élève maintenant au milieu d'un sanctuaire moderne dans un quartier de boutiques archaïques, est l'un des seuls témoins du temps où Bagdad était la fastueuse capitale des Abbassides.
Phot. C. Kutschera

An Nadjaf et Karbalā, citadelles de la foi

La tradition est très vivace à Bagdad et dans sa région. Depuis l'an 637 de l'ère chrétienne, date à laquelle les armées arabo-islamiques arrachèrent l'Iraq à la domination des Perses Sassanides, la foi musulmane s'est implantée dans le pays avec d'autant plus de succès que de grands mystiques s'y manifestèrent et y furent enterrés : leurs tombeaux devinrent des objets de vénération et le sont demeurés.

C'est en se rendant à la mosquée d'Al Kūfah (au sud de Bagdad) qu'Ali, gendre de Mahomet, fut assassiné. La légende veut que l'on ait, selon sa volonté, placé son corps sur un chameau, et que l'animal se soit arrêté à une dizaine de kilomètres de là, sur le site d'An Nadjaf. Là s'élève aujourd'hui la mosquée d'Ali, couronnée de coupoles dorées et plaquée de faïence émaillée à la mode iranienne. An Nadjaf, ville sainte de l'islam, possède plusieurs écoles coraniques, où professent des spécialistes en théologie et en linguistique arabe. Ses imams ont la réputation d'être très indépendants.

Les dômes dorés d'une autre cité sainte toute proche, Karbalā, sont visibles à dix kilomètres à la ronde : ils coiffent la mosquée de l'imam Abbas et celle de l'imam Husayn, édifiées sur le lieu même d'une bataille fratricide entre les

intelligence la brique locale, de couleur jaune orangée, révèlent une parfaite maîtrise et une grande originalité de style. Cette originalité est particulièrement sensible à la mosquée récemment élevée à côté d'un minaret ancien, seul vestige de la mosquée des Califes fondée au Xe siècle. L'architecte, mariant avec talent le béton, la brique et des éléments de fer, a su accorder parfaitement les deux monuments.

Cet exercice périlleux et réussi illustre la philosophie d'un pays qui cherche sagement, raisonnablement à allier son goût profond pour la tradition aux ouvertures du monde moderne que le pétrole lui a rendu accessible. Cette philosophie de l'action est évidente dans les grands travaux d'urbanisme et d'équipement qui bouleversent, une fois de plus, cette ville de 2 millions d'habitants. Cela ne trouble pas les Bagdadis qui déambulent à la tombée de la nuit sur la rive du Tigre, le long de l'avenue Abu Nuwas. Un jardin s'étend au bord du fleuve, entre deux voies piétonnières. Des cafés déploient leurs tables parmi les arbres et les fleurs. On y vient voir le soleil rougir et plonger derrière le vieux pont de fer (Shuhada). Sur la rive opposée — quartier du palais du Gouvernement —, les palmiers se profilent sur le ciel. Dans la nuit s'allument alors des feux : ceux qui permettent de faire griller les *masgoof*, sortes d'énormes carpes pêchées dans le Tigre, mises à plat par une incision pratiquée le long de l'arête dorsale et présentées d'un seul côté au feu de bois. Le préposé, à l'aide d'un long tisonnier, rapproche ou éloigne les braises sous les yeux des clients.

partisans des Omeyyades (sunnites) et ceux des Alides (chiites). Les mosquées de Karbalā et d'An Nadjaf sont des lieux de pèlerinage de la secte chiite, ce qui rend leur visite problématique pour un non-musulman : ou on lui laisse franchir le porche ; ou on ne lui permet d'accéder qu'à la cour ; ou, enfin, grâce à la complicité d'un ami iraqien, il se fait passer pour un Iranien ou un Pakistanais, les citoyens de ces deux pays étant nombreux parmi les visiteurs. Dans ce dernier cas, il sera impressionné par la richesse du décor de marbre et de faïence, par l'aspect irréel des plafonds incrustés de miroirs et, plus encore, par la ferveur des pèlerins,

▲
Dans les faubourgs de Bagdad, la Grande Mosquée de Kadimiyah, coiffée de deux dômes dorés, est un centre de pèlerinage chiite, et aucun incroyant n'est autorisé à franchir les portes décorées de faïence émaillée de son enceinte.
Phot. C. Lénars

▲
L'entrée des mosquées de Karbalā, ville sainte du chiisme, est réservée aux adeptes de cette branche schismatique de l'islam, qui compte de nombreux fidèles en Iraq et dont la foi est particulièrement rigoriste.
Phot. C. Lénars

surtout celle des femmes, qui, en longs voiles noirs, viennent implorer les défunts en posant une main sur la grille d'argent qui enferme le tombeau du saint.

Même ferveur à la mosquée de Kadimiyah, gros bourg maintenant englobé dans le grand Bagdad, qui conserve les tombeaux de deux imams chiites, et, à Samarra, sur la route de Mossoul, où la mosquée Ali-el-Hadi abrite les dépouilles des dixième et onzième imams ; la salle de prière, que coiffe un énorme dôme recouvert de plaques de cuivre doré, flanqué de deux minarets de style persan, est défendue par des gardiens particulièrement vigilants.

Ces dômes, ces cours tapissées de céramiques font rêver à la splendeur musulmane au temps où Bagdad, avec près d'un million et demi d'habitants, était la première ville du monde. Seule Byzance pouvait rivaliser de faste avec elle. Mais d'autres monuments, telles les ruines de Samarra et celles du palais-forteresse d'Ukhaidir, ont également un singulier pouvoir d'évocation et d'envoûtement.

Ukhaidir s'élève au sud du lac de Habbā-nīyah, à une centaine de kilomètres de la capitale, en plein désert. Le château semble avoir servi de retraite à un neveu du calife al-Mansur écarté du trône, ce qui ferait remonter

sa construction au VIIIᵉ siècle. Il se compose d'une gigantesque place d'armes (175 m × 169 m), entourée de remparts d'une quinzaine de mètres de haut, à l'intérieur desquels s'élève une forteresse. Celle-ci comporte notamment une mosquée, des appartements privés sur trois étages, une cour dotée d'un *iwan* (grand porche d'origine sassanide), des magasins et un caravansérail. L'ensemble est d'une complexité, mais également d'une grandeur que n'atteint aucun des édifices islamiques de Bagdad. La solitude du site, la couleur ocre et laiteuse de la pierre ajoutent à la beauté d'un monument trop souvent méconnu.

▲
Grande Mosquée de Kadimiyah, près de Bagdad : l'intérieur de l'enceinte rectangulaire, avec sa double rangée d'arcades ogivales, et la porte principale, surmontée d'une tour d'horloge.
Phot. C. Kutschera

▶
Dans les solitudes arides sous lesquelles reposent les restes de la civilisation mésopotamienne, un petit mausolée musulman au dôme vernissé s'élève près de Birs Nimrud, l'antique Borsippa.
Phot. Rachet-Explorer

▲
La dynastie perse des Sassanides, qui régna sur l'Iraq jusqu'à l'invasion arabe, a laissé, avec le palais de Ctésiphon, entièrement bâti en brique, un magnifique témoignage de sa civilisation. (Arcatures aveugles de l'aile sud.)
Phot. A. Robillard

La succession des tours semi-circulaires de la forteresse et les grands arcs de décharge de la cour intérieure évoquant la splendeur de l'islam à ses débuts, on a dénié l'édification d'Ukhaidir aux Sassanides, dont la présence en Iraq ne se serait donc signalée que par un seul édifice, mais superbe : le palais et l'arc de Ctésiphon, situés à une vingtaine de kilomètres au sud de Bagdad.

Ctésiphon, ville parthe durant trois siècles, fut la capitale d'hiver des Sassanides. Le palais dit « de Khosoes » comportait une façade symétrique aveugle, disposée de part et d'autre d'un arc. Seule la partie gauche est encore debout, le Tigre ayant emporté l'aile droite lors d'une crue en 1909 (cette aile vient d'être en partie reconstituée). La colère du fleuve a épargné l'« arc », une voûte elliptique, la plus élevée que nous ait léguée l'Antiquité. Elle abritait la salle du trône, qui s'ouvrait directement sur le devant de l'édifice, ce qui fait considérer cette salle comme le prototype de l'*iwan*, qui caractérise si profondément l'architecture orientale. Ce monument, surprenant par sa conception et par ses dimensions, allait, en effet, donner le ton aux architectes qui réalisèrent Samarra.

▲
Flanquée de 48 tours, l'imposante forteresse d'Ukhaidir, isolée en plein désert, semble remonter aux premiers temps de la domination arabe, vers le début du VIIIe s.
Phot. Vuillomenet-Rapho

Samarra
ou l'abstraction lyrique

Au nord de Bagdad, Samarra, fondée par les Abbassides, connut son âge d'or au IXe siècle. Les ruines de la ville s'étendent actuellement sur une vingtaine de kilomètres le long du Tigre. On a reconnu les vestiges de 24 palais, de casernes, de terrains de polo.

La Grande Mosquée était à cette échelle ; il en subsiste le mur extérieur, bastionné de tours semi-engagées et délimitant un rectangle de 17 ha, et la Malwiya, célèbre minaret de forme hélicoïdale, qui évoque l'élan vers le ciel des *ziggourats* mésopotamiennes.

Le paysage de Samarra est caractéristique des étendues désolées, souvent blanches de sel, qui séparent Bagdad de Mossoul. Pendant 400 km, on guette la moindre ondulation, le petit pan de verdure, le gros bourg aux maisons de torchis écrasées sous le soleil. On voit se profiler les fours des briqueteries, véritables fortins, surmontés d'une immense cheminée crachant des nuages de fumée noire et entourés de centaines

▶
Le minaret à rampe hélicoïdale de la mosquée du Vendredi de Samarra, construit au IXe s., est peut-être inspiré des ziggourats mésopotamiennes.
Phot. Riboud-Magnum

▲
*Ce génie à l'opulente barbe frisée, sculpté en très faible
relief dans une dalle d'albâtre, orne le palais d'Assur-
Nasirpal II à Nimrud, l'ancienne Calach de la
Genèse, qui fut la capitale de l'Assyrie du XIIIᵉ au
VIIᵉ s. av. J.-C.*
Phot. C. Lénars

de charrettes assurant le transport des briques. Passées les briqueteries, on ne rencontrera plus que des troupeaux et des caravanes de chameaux. Le paysage ne deviendra moins sévère qu'aux portes de Mossoul, en abordant le « Triangle assyrien ».

Au nord, le « Triangle assyrien »

Assur, Calach (Nimrud) et Ninive furent les principales villes de l'Empire assyrien, qui fit régner la terreur dans tout le Moyen-Orient de 1150 à 612 av. J.-C., date à laquelle il s'effondra sous la pression conjuguée des Mèdes, des Scythes et des Babyloniens. Cette période assyrienne de la Mésopotamie est celle que l'Europe découvrit en premier. Un consul de France à Mossoul, Paul-Émile Botta, commença par fouiller le site de Ninive, dans les faubourgs de Mossoul. Les résultats furent décevants, mais des Bédouins ayant fait des trouvailles plus au nord, à Khursabād, il s'y transporta avec 300 ouvriers. Là, il exhuma une partie du palais de Sargon II et envoya ses découvertes à Paris, où elles furent exposées en 1847. L'année suivante, d'autres pièces furent présentées à Londres, au British Museum. L'archéologie orientale était née.

De tous ces sites prestigieux, le plus impressionnant par sa situation est Assur, la première capitale. Entre le Tigre et un canal de dérivation, les palais et les *ziggourats* — la cité en comptait trois — s'étageaient le long de la falaise.

Ninive est plus « lisible » : on distingue très bien le contour des remparts, qui, à l'époque

▶
Des taureaux ailés à tête humaine, destinés à éloigner les mauvais esprits, gardaient les entrées du palais d'Assur-Nasirpal II à Nimrud.
Phot. A. Robillard

sur son passage. Voilà qui entraîne loin des préoccupations sumériennes en matière d'hydraulique, d'architecture, d'astronomie et de musique.

Il faut passer de la terrifiante salle n° 10 à la salle n° 11 du musée de l'Iraq pour découvrir, avec les ivoires trouvés à Nimrud, un aspect plus intimiste de l'art des Assyriens. On y voit, avec surprise, des visages féminins sensibles et souriants, des divinités familières et des vaches allaitant leurs petits, sujets qui n'ont rien de commun avec la grandiloquence de la propagande officielle.

Hatra, ville caravanière

Tout autre se révèle Hatra (aujourd'hui Al Hadr), le site archéologique le plus séduisant du nord de l'Iraq. La prospérité de cette halte caravanière commença au Ier siècle de notre ère et dura jusqu'en 270, date à laquelle la ville fut conquise par l'empereur sassanide Chahpuhr Ier, plus heureux que Trajan et Septime Sévère, qui avaient dû lever le siège devant la détermination des habitants et surtout l'action des « feux hatréens » (des flèches trempées dans du bitume et enflammées).

L'origine de la ville est inconnue. Après la chute des Assyriens, des tribus arabes vinrent s'y installer et y amenèrent des dieux vénérés dans la Péninsule, tels Ashtart et Shamash. Sous cette dynastie bédouine, indépendante de l'Empire parthe, Hatra prospéra durant deux siècles et demi, comme d'autres cités commerçantes au destin similaire, Doura-Europos et Palmyre en Syrie, Pétra en Jordanie.

Il faut grimper sur une terrasse, au sommet des temples, pour découvrir le site de Hatra. Deux enceintes concentriques enferment une esplanade rectangulaire (tremos), de 435 m sur 321 m, ceinte d'un mur de pierre, un calcaire doré qui surprend après les amoncellements de

de Sennachérib (705-681), se développaient sur 15 km et étaient percés de quinze portes. Trois d'entre elles ont été restaurées, dont une ornée de taureaux ailés à tête humaine, dégagés fortuitement, en 1941, à la suite d'un affaissement provoqué par le ravinement des pluies.

Nimrud, l'ancienne Calach de la Genèse, est la plus intéressante des trois capitales assyriennes. Située au sud de Mossoul, elle se signale de loin par la masse de sa ziggourat. Les tumuli se succèdent dans un périmètre de 8 km environ. La ville haute — la partie qui a retenu l'attention de Layard dès 1854 — était protégée par un mur de plus de 30 m d'épaisseur, dont la hauteur atteint encore, en certains endroits, une quinzaine de mètres. Mais c'est le palais d'Assur-Nasirpal II (883-859), modifié par ses successeurs, qui retient l'attention. Le bas des murs est fait d'énormes dalles d'albâtre gypseux d'un vert laiteux (le « marbre de Mossoul »), ornées d'inscriptions et de bas-reliefs représentant les génies qui rendaient les rois invulnérables. Des taureaux ailés défendent les portes des palais. Derrière les plaques, on a édifié des murs et des plafonds qui assurent leur protection et restituent la hauteur des salles.

Mais le message des Assyriens s'exprime surtout par les objets provenant de ces sites et conservés dans les musées de Bagdad et de Mossoul. À Bagdad, la salle n° 10 du musée de l'Iraq présente les taureaux ailés (à cinq pattes, pour exprimer le mouvement) de la porte de la citadelle de Khursabād, les plus importants découverts à ce jour (ils pèsent 38 tonnes chacun). On y voit également une vingtaine de plaques énormes, provenant du palais de Sargon et représentant le roi accueillant les

notables. Cette frise célèbre allie le souffle mystique de l'Égypte au rayonnement que les Grecs de l'époque archaïque faisaient passer dans le sourire de leurs éphèbes.

Que disent ces œuvres ? Sur des kilomètres de bas-reliefs, on ne voit que des manifestations de la poigne de fer des Assyriens. À ces professionnels de la guerre (ils ont inventé le char de combat), à ces chasseurs intrépides (ils affrontaient les lions à la lance) rien ne peut, rien ne doit résister. Malgré le caractère répétitif des scènes, on ne peut être insensible à la grandeur de ces chasses rituelles et à l'organisation d'une machine de guerre qui broyait tout

▲
On a rebâti une partie des remparts couronnés de créneaux à redans dont le roi assyrien Sennachérib dota la ville de Ninive, et qui se déployaient alors sur une quinzaine de kilomètres.
Phot. J.-C. Chabrier

▲
Un patient travail de restauration s'efforce de faire resurgir d'un monceau de décombres les temples du sanctuaire de Hatra, dédié au Soleil par les tribus bédouines qui occupaient la cité aux premiers siècles de notre ère.
Phot. C. Kutschera

▶
Pays de grande tolérance religieuse, l'Iraq compte un demi-million de chrétiens, dont les petites communautés vivent en bonne intelligence avec la population musulmane.
Phot. E. Chabrier

briques du Sud et les kilomètres de gypse verdâtre du « Triangle assyrien ».

Les deux tiers du *tremos* forment une vaste place de marché bordée de boutiques dont certaines portent encore le nom de leur propriétaire. C'était le souk de la route caravanière qui reliait Ctésiphon à l'actuelle Nusaybin, en Turquie. Un bas-relief représentant une chamelle allaitant son petit évoque le moyen de transport qui faisait la fortune de la ville.

Le reste de l'esplanade est occupé par les temples. Devant le mur de séparation du souk se dresse un petit sanctuaire, très hellénisant avec ses colonnes corinthiennes et ioniques. La cour qui lui fait suite est à un niveau supérieur. Là s'élèvent les grands temples de Hatra, formant une façade continue, percée par les *iwans* s'ouvrant directement sur la cour. Cette architecture mérite l'attention, car, avant les réalisations de Hatra, toutes les salles de grande dimension étaient hypostyles, c'est-à-dire dotées de colonnes.

La sculpture de Hatra — très abondante — appartient à l'art gréco-oriental, qui s'attache à reproduire les détails du vêtement et de la parure. La salle nº 16 du musée de l'Iraq, à Bagdad, et la grande salle du musée de Mossoul ont recueilli les matrones aux bijoux pesants et aux coiffes hautes et les princes aux tuniques brodées, aux ceintures ciselées et aux caractéristiques tiares en pointe. Quant à la décoration des *iwans* — médaillons et frises avec motifs mythologiques, rinceaux de vigne —, elle est nettement hellénisante.

La vie secrète de Mossoul

Mossoul, plaque tournante pour la visite de Hatra et du « Triangle assyrien », déploie le long du Tigre ses vieux quartiers hérissés de minarets et de clochers. C'est une ville qu'il faut découvrir à pied, en flanant dans ses ruelles nauséabondes, mais bordées de maisons aux portails sculptés dans le même gypse que les reliefs assyriens et aux cours à arcades. Le regard s'attarde sur une colline où le réseau des rues est particulièrement dense, sur les ruines d'un ancien palais (Qara Serail), sur la coupole d'un mausolée (Yahia), sur d'autres ruines (Bash Tabia) accrochées à un énorme rocher.

On découvre la Mossoul secrète en partant à la recherche des églises chrétiennes (église jacobite, avec ses vieux tombeaux de marbre noir ; église chaldéenne Tama, dont la fondation remonte au VIIIe siècle ; église Nebi Djordjis) et dans le dédale du « quartier chrétien », au cœur

En soufflant toujours du même côté, le vent a déformé le vieux minaret de brique de la mosquée Djami el-Kebir, qui dresse sa haute silhouette cintrée au-dessus des toits de Mossoul.
Phot. Vuillomenet-Rapho

Dans le nord de l'Iraq, près de la frontière turque, vivent les Yézidis, qui parlent la langue kurde et pratiquent une religion originale, prévoyant la réhabilitation finale de Lucifer.
Phot. J.-C. Chabrier

de la ville. Il faut cependant un guide pour découvrir un édifice comme la vénérable Chimoun es Safa, que le rehaussement du sol fait apparaître comme une église souterraine, la porte d'entrée se trouvant actuellement au niveau de la tribune. Cette disposition apparaît d'ailleurs comme une sage précaution pour un édifice religieux, dans une ville où la plupart des minarets anciens, malmenés par les vents continuels, prennent un aspect caoutchouteux et dangereusement penché. Chimoun es Safa est une église typiquement chaldéenne, avec sa cour parallèle au chœur et destinée aux offices d'été, son petit cimetière, sa sacristie dotée d'un four à pain, son baptistère et ses inscriptions en araméen, la langue du Christ.

Le plus bel exemple de monastère chaldéen se trouve au sud de Mossoul (près de Nimrud), à Mar Behnam, en plein désert. Saint Behnam (assimilé à saint Georges) y repose auprès d'une église de la fin du Vᵉ siècle (restaurée au XIIᵉ s.), dans un village musulman. Dans le pays de Mossoul, l'œcuménisme règne, en effet, depuis longtemps. Autour du village de Qarakouch, doté de sept églises, vivent 7 000 chrétiens syriaques, alors que les agglomérations

proches sont islamiques. À Djervan, au nord de Mossoul, où l'on visite des restes de l'aqueduc de Sennachérib, qui amenait à Ninive l'eau de la montagne, vivent des Yézidis «adorateurs du diable». Fausse appellation, en vérité, car les Yézidis, refusant la notion du Mal, ont fait de Lucifer le premier des anges. Tout aussi erroné est le surnom des sabéens, appelés «disciples de Jean-Baptiste», qui se caractérisent par un culte de l'eau et de la propreté.

À l'est de Mossoul, s'élèvent des montagnes aux formes puissantes, souvent couvertes de neige, coupées de gorges où bondissent les torrents et de grandes vallées sauvages. Les villages kurdes s'étagent sur les pentes. À partir d'Arbīl, on peut descendre sur Kirkūk et Rumeïla, où se trouvent les plus importants champs pétrolifères de l'Iraq et d'où les grands pipe-lines partent vers la Méditerranée et le golfe Persique. La nuit, les flammes des torchères sont un spectacle impressionnant.

Tout comme est impressionnante l'approche des montagnes du Kurdistan à As Sulamāniyah, située à 900 m d'altitude dans un cirque, au milieu d'une région de forêts et de vergers où se sont multipliées les stations de repos. Saisis-

sant contraste avec les étendues plates et désertiques du Sud. Ici se côtoient des populations kurdes, turcomanes, gitanes (les Karaj, qui vivent parmi les Kurdes, et les Kawalih, qui se mêlent aux Arabes), dont les différences d'origine se traduisent dans le comportement, les vêtements et la production artisanale.

Cette diversité, qui est un des attraits de l'Iraq, est consciemment entretenue par chacun et respectée par les autres. À tel point que le Bédouin nomade met un voile d'une couleur particulière pour se rendre à la ville.

L'Iraq possède un art populaire encore vivant et entend le préserver. Comme il entend préserver un patrimoine archéologique de 10 000 sites répertoriés. C'est ainsi que la mise en eau du barrage de Himrin, à l'est de Bagdad, a provoqué la plus importante opération de sauvetage lancée par la Direction générale des Antiquités. Opération du même type que celle de Nubie, mais ne faisant aucunement appel à l'aide internationale. Dix équipes d'archéologues fouillent actuellement les tells (collines artificielles faites de ruines superposées) de Himrin pour nous en apprendre davantage sur les premiers pas de notre civilisation ■   Claude RIVIÈRE

▲
Les Kurdes, qui constituent la plus importante minorité de l'Iraq, accrochent aux flancs des montagnes, à l'est de Mossoul, des villages de maisons à toit plat.
Phot. J.-C. Chabrier

Les émirats du golfe Persique

Presque isolé de l'océan Indien, le golfe Persique est l'une des mers les plus salées du monde (3,5 à 4 p. 100) et aussi l'une des plus chaudes (40 °C en été). Les émirats qui s'échelonnent le long de la côte — basse et protégée par des récifs — de la péninsule Arabique ne sont pratiquement pas soumis à la mousson. En été, la température peut atteindre 50 °C. Végétation très pauvre. Contraste entre le désert, les quartiers modernes et les installations pétrolières ; entre l'abondance des richesses procurées par l'or noir et le rigorisme des mentalités (la vie dans les émirats est difficile pour les femmes et les alcooliques).

Koweït : un triangle de 18 000 km², situé entre l'Iraq et l'Arabie Saoudite, avec une façade de 200 km sur la mer. Plusieurs îles, dont la plus grande, Būbīān, n'est pas habitée. Un million d'habitants, dont plus de la moitié est d'origine étrangère.

À voir : Koweït, la capitale (vieille ville, corniche, ancienne résidence de l'émir [Seef], musée du Koweït [ethnographie], Musée historique, port des boutres).

Bahreïn : 600 km², constitués par des îles. La plus importante, Bahreïn (50 km sur 20), est reliée par un pont à celle de Muharraq (aérodrome).

À voir : Al Manamāh, la capitale (quartiers anciens, souks, musée, « Lido ») ; aux environs, lac d'Ain al-Qasari ; Balad al-Qadim, ancienne capitale, et ses mosquées ; Budaiya (secteur archéologique important) ; Isa Town, ville créée dans les années 60 ; forteresse de Rifaa al-Sharki ; les 100 000 tumuli du plus important cimetière connu de l'âge du bronze.

Qatar : une péninsule de 22 000 km², occupant une position stratégique au milieu du golfe. Aucune précipitation. Sol pierreux et sableux. Fortes traditions bédouines : les Qataris ont été les derniers pirates du golfe.

À voir : Duha, la capitale (corniche, musée archéologique et ethnographique, souks) ; Al Wakrah (chantiers de boutres) ; Al Khor et Al Zubarah (villages de pêcheurs de perles).

Émirats arabes unis : 84 000 km² ; la fédération regroupe, depuis 1968, les émirats d'Abou Dhabi (les deux tiers du territoire), Doubaï, Chardja, Ajman, Umm al Qaiwaïn, Ras al Khaimah et Fudjayra. Les sept émirs forment le conseil suprême de l'Union.

À voir : Abou Dhabi (corniche, ancien palais) ; oasis d'Al Ain ; Doubaï (bel ensemble ancien) ; Chardja (ville moderne).

Sultanat d'Oman : à l'angle de la péninsule, cet État de 300 000 km² réunit l'ancien sultanat de Mascate-et-Oman et de petites principautés de la « Côte des Pirates ». Chaîne de montagnes en bordure du golfe d'Oman, dominée par le Djebel Akhdar (3 019 m) ; vallées et oasis ; palmiers-dattiers et huîtres perlières.

À voir : Mascate, la capitale (musée, plages) ; Nizwa (marché) ; Bahla (potiers) ; côte de la Batinah.

▲
Capitale du sultanat d'Oman, Mascate est un véritable repaire, défendu du côté de la terre par des rochers sombres aux formes acérées et, du côté de la mer, par deux vieux forts portugais.
Phot. Burri-Magnum

l'Arabie Saoudite

La péninsule Arabique se présente comme un coin enfoncé entre l'Afrique et l'Asie, dont elle est séparée par la mer Rouge, le golfe d'Aden, le golfe d'Oman et le golfe Persique. Les sept dixièmes de ses 3 millions de kilomètres carrés forment le territoire de l'Arabie Saoudite. Désert ou semi-désert selon les régions, ce royaume demeure la patrie de l'islam, mais il est aussi devenu le plus grand exportateur de pétrole du monde. Nation en plein devenir, il tente de concilier les lois rigides de la tradition ancestrale et les impératifs d'une économie du XXe siècle. Phénomène unique que ce royaume féodal se projetant lui-même, en moins de trente ans, aux portes de l'an 2000. Sous la tente des Bédouins trône le transistor ; les jets atterrissent au milieu des chameaux ; le pèlerin de La Mecque connaît la journée de huit heures ; et le vautour poursuit sa mission sani-

taire au milieu de la plus moderne des usines de dessalage de l'eau de mer...

Géographiquement, l'Arabie Saoudite se présente comme un pupitre d'écolier. Sur la partie haute (côté mer Rouge) souffle l'esprit, avec les villes saintes de La Mecque et de Médine. Sur la partie inférieure — l'abattant du pupitre — coulent l'eau et le pétrole.

En dehors de la province orientale, le problème de l'eau — et donc des ressources agricoles — reste préoccupant. Dans ce gigantesque pays, il n'existe pas de cours d'eau permanent, et les précipitations ne sont, en moyenne, que de 76,2 mm par an : sans fleuve et sans pluie, l'Arabie serait presque entièrement désertique sans la politique d'irrigation et de dessalage financée par le pétrole.

En 1980, l'Arabie Saoudite a lancé son IIIe plan quinquennal, qui prévoit (avec un

budget de 340 millions de dollars) la poursuite des équipements industriels et sociaux du pays, et toujours « le maintien des valeurs religieuses et morales de l'islam ». C'est dire que l'islam n'est pas seulement une religion, mais aussi une législation fondée sur le Coran.

Il n'y a de dieu qu'Allah

Lorsque, au début du VIIe siècle apr. J.-C., Mahomet, dernier d'une longue lignée de prophètes, commence sa prédication, l'Arabie est un carrefour d'influences : rapports commerciaux de La Mecque (alors cité marchande) avec Byzance, la Perse et l'Éthiopie ; contacts avec les religions chrétienne et juive, en particulier à Nadjran et à Yathrib (la future Médine).

▲
Dans l'or des sables de l'Arabie, l'imprévisible luxuriance d'une oasis.
Phot. Bonnenfant-Fotogram

1

Mahomet se propose d'unir l'Arabie autour d'une nouvelle religion, de tirer les tribus de l'anarchie et des guerres fratricides, et de mobiliser l'énergie de tous pour la propagation des lois du Coran. Quand il meurt, en 632, il a créé le premier État musulman organisé.

Un autre homme a joué un rôle déterminant dans l'histoire de l'Arabie : Mohammed ibn Abd al-Wahhab. Après avoir régné sur des terres allant de l'Espagne aux confins orientaux de l'Inde, l'Islam a sombré dans la torpeur. Au XVIIIe siècle, il ne subsiste plus que dans un étroit territoire, le Nadjd, où une poignée de fidèles rêve de contrôler de nouveau les lieux saints. Dans le reste de l'Arabie règnent le pillage, la corruption et le culte de l'occupant... Mohammed ibn Abd al-Wahhab préconise une restauration de l'islam dans sa pureté originelle et un respect farouche des règles du Coran.

Il trouve un allié en la personne d'un chef bédouin du Nadjd, Mohammed ibn Saoud. En 1765, le fils d'Ibn Saoud devient roi sous le nom d'Abd al-Aziz Ier : l'Arabie Saoudite est née. Ce roi, bien que sans cesse pourchassé et trahi, rallume la flamme islamique et impose un certain ordre spirituel.

Cinquante ans plus tard, sous les coups de boutoir des invasions turques et égyptiennes — sans parler de l'installation anglaise dans certains comptoirs de la péninsule —, l'Arabie retourne à l'anarchie, et les tribus nomades retrouvent avec délice leurs luttes fratricides. Tout est à refaire.

Ce sera l'œuvre d'Abd al-Aziz III, plus connu sous le nom d'Ibn Saoud. Durant son long règne, la sécurité est restaurée dans tout le pays, la foi islamique retrouve sa rigueur primitive, et le pétrole jaillit... À la mort d'Ibn Saoud, en 1953, l'Arabie est un pays riche, une puissance dont les décisions pèsent sur l'ensemble du monde.

Deux forces apparemment contradictoires ont créé ce pouvoir : un islam au rigorisme wahhabite et l'ARAMCO, la société qui détient les énormes gisements pétrolifères...

Djedda,
porte des cités interdites

Qu'il soit un homme d'affaires occidental ou un musulman venant d'Asie ou d'Afrique accomplir le pèlerinage rituel à La Mecque, le nouvel arrivant a neuf chances sur dix de pénétrer en Arabie Saoudite par Djedda. Cette bourgade qui, il y a trente ans, ne comptait que 20 000 âmes et vivait sans eau courante, sans électricité et sans arbres, est aujourd'hui une ville moderne de quelque 560 000 habitants. Principal port du royaume, dotée d'un aéroport international, Djedda héberge les grandes banques, les firmes qui commercent avec l'Arabie Saoudite et les ambassades étrangères.

Les mosquées historiques, dont les minarets sont fortement inspirés de l'architecture turque, sont intactes, et il subsiste quelques belles et hautes maisons en pierre de corail, avec leurs balcons et leurs vérandas de bois minutieusement sculptés et peints. Le bazar aux étroites venelles couvertes garde le charme et les senteurs des souks d'Orient, même si ses étals sont envahis par les produits et les gadgets en provenance directe des pays occidentaux. Enfin Djedda, tout au long de sa nouvelle « corniche », se mire dans une mer dont la faune et la flore sous-marines sont parmi les plus enchanteresses du monde...

En dehors de ces lieux privilégiés, Djedda n'est qu'une grande ville moderne très européanisée. En moins de dix ans, la municipalité a investi deux milliards de nos francs pour l'« embellir ». Cela s'est traduit par la percée de vastes avenues, par la construction d'imposants immeubles de béton et de verre, et par la prolifération de grosses villas à l'occidentale. Les caravanes de chameaux ont fait place aux longues files de limousines climatisées, et, à tous les carrefours, la forêt des poteaux de ciment portant l'éclairage au néon ou les feux de signalisation a remplacé les troupeaux de chèvres et de moutons.

Mais Djedda est aussi la porte de La Mecque et de Médine. Au moment du *hadjdj*, le pèlerinage qui a lieu au cours du douzième mois lunaire, elle devient un immense campement où près d'un million de pèlerins mangent, dorment, prient, mais surtout attendent la fin des formalités d'entrée.

Djedda vit donc aussi de la ferveur religieuse, et celle-ci s'accroît chaque année : 204 000 pèlerins en 1958, près de 1 500 000 en 1980. Pourtant, le pèlerinage coûte de plus en plus cher. L'avion a remplacé le voyage à dos de chameau, et les frais de séjour se sont multipliés par vingt en moins de dix ans. Alors le pèlerin se livre à quelque commerce. Il achète des perles et des bijoux qu'il revendra,

◀

Les vieux bâtiments de Djedda, à balcons et vérandas de bois sculpté, cèdent peu à peu le terrain aux immeubles de béton.
Phot. Lafargue-Gamma

avec bénéfice, dans son pays, ou il s'efforce d'écouler sur place des articles artisanaux ou des tapis fabriqués chez lui.

De toute manière, Djedda s'enrichit. Ce que la loi de l'islam interdit à La Mecque ou à Médine, elle le tolère ici. Comment faire autrement ? Une bonne partie de la population vit durant onze mois sur les profits réalisés pendant le mois sacré du *hadjdj*.

En définitive, qu'importe pour le pèlerin ? Une fois dans sa vie, il aura communié avec l'âme du Prophète et rentrera chez lui purifié. Il commence son pèlerinage en allant à Médine, « la Cité illuminée », à 25 km au nord de Djedda

— l'une des deux villes du pays interdites aux non-musulmans. Dans la mosquée du Prophète, il réussit, après des heures de prière et d'attente, à toucher du bout des doigts le marbre du tombeau de Mahomet.

Sanctifié par les ablutions rituelles, il se rend ensuite à La Mecque, où il fait sept fois le tour de la Kaaba, l'édifice cubique situé au centre de la Grande Mosquée aux sept gigantesques minarets.

Pour prier son Dieu, le pèlerin n'est pas seul. Près de 300 000 de ses semblables l'entourent, tous totalement soumis à Allah. Si, à Médine, les travaux de restauration de la mosquée du Prophète ont permis, en 1955, de porter la superficie de 10 000 à 16 000 m², dans les années suivantes, à La Mecque, la mosquée Masjid al-Haram est passée de 29 000 à 160 000 m², ce qui lui permet d'accueillir en même temps plus de 500 000 fidèles. L'enceinte de la mosquée agrandie enferme non seulement la sainte Kaaba, reliquaire de la mystérieuse Pierre noire, et le puits de Zemzem, aux eaux purificatrices, mais aussi les collines d'Assafa et d'Al Merwa, distantes de 380 mètres que le pèlerin doit parcourir sept fois en priant.

Le pèlerinage se poursuit par la visite de Mina, village désert d'où les fidèles partent pour le mont Arafa. Sur cette colline où, selon la tradition, Adam et Ève se seraient rencontrés, le musulman, dans le secret de son âme, s'adresse à Dieu. Ce face-à-face est l'apogée du pèlerinage.

Puis, après un arrêt à Mozdalfa pour recueillir les sept petits cailloux traditionnels, le fidèle part pour Jamarat al-Akaba, où il lapide le diable en jetant ses pierres sur trois monticules qui symbolisent le Malin. Retour à Mina et sacrifice du mouton pour l'aïd al-kebir avant les ultimes rites du pèlerinage, avec de nouvelles rondes autour de la Kaaba et les derniers va-et-vient entre Assafa et Al Merwa.

▲

Au centre de la Grande Mosquée de La Mecque, la Kaaba, édifice cubique recouvert d'une chape de brocart, abrite la mystérieuse Pierre noire que l'archange Gabriel aurait remise à Abraham.
Phot. Sipa-Press

l'Arabie Saoudite

3

Voilà bientôt un mois que le pèlerin a débarqué à Djedda. Devenu *hadjdj*, il peut rentrer chez lui, son devoir accompli. Est-ce à dire que Médine et La Mecque vont se rendormir pour onze longs mois ? Non, bien sûr. D'une part, parce que des pèlerinages dits « mineurs » sont accomplis tout au long de l'année. D'autre part, parce que les deux villes sont prospères, en dehors du fait qu'elles abritent les lieux saints de l'islam. La Mecque (près de 300 000 hab.) et Médine (150 000 hab. environ) se sont mises à l'heure du XXᵉ siècle. Riches en eau, elles sont aujourd'hui environnées de cultures. Elles n'en restent pas moins des lieux saints, dont la protection et le développement conditionnent l'attitude de l'Arabie Saoudite face aux grands problèmes politiques du monde.

La région occidentale ne se limite pas à la ville la plus active du royaume et aux deux cités interdites. At Ta'if, par exemple, mérite un détour. Perchée au sommet d'une montagne de près de 1 800 m, c'est ce que nous appellerions, en Europe, une « station ». Son climat tempéré et sa végétation luxuriante en font la villégiature des riches commerçants de Djedda et la capitale politique d'été : dès le mois de juin, la Cour et le gouvernement s'y installent.

L'antique route de l'Encens, qui reliait les royaumes d'Hadramaout, de Qatabān et d'Awsan à la Palestine et à la Syrie, est jalonnée de vestiges tels que la ville en ruine d'Al Ukhdud (près de Nadjran), la vallée de Madā'in Sālih et les villes-étapes d'Al 'Ula et de Taïma.

D'Al Ukhdud, qui fut une des cités du royaume de Saba, ne subsistent qu'un grand mur gravé de symboles et quelques témoignages d'une civilisation qui dut être brillante (meules géantes, mortiers, vases, etc.).

D'autres documents, littéraires et archéologiques, attestent que le commerce de l'encens, contrôlé par les Nabatéens, se poursuivit jusqu'aux temps hellénique et romain. Les Nabatéens créèrent ainsi, dans une vallée située à 800 km au nord de Djedda, un grand entrepôt nommé aujourd'hui Madā'in Sālih. Il en reste deux sortes de témoignages : des tombes monumentales, sculptées dans la roche, et une collection de 179 buttes principales et de milliers de buttes secondaires. Symétriquement espacées, méthodiquement placées, différenciées par les variations de leurs couleurs rouges et grises, ces buttes furent les habitations de ceux qui vécurent à Madā'in Sālih. Dans sa sauvage et souveraine beauté, cette vallée-ville est la richesse archéologique la plus passionnante de l'Arabie Saoudite.

Capitales d'hier et d'aujourd'hui

Aux alentours de 1740, Mohammed ibn Saoud régnait sur une véritable forteresse, protégée par des murs hauts et épais. En s'alliant avec Abd al-Wahhab, il créa, de 1745 à 1765, le premier empire d'Arabie Saoudite. Il lui donna pour capitale sa forteresse de Daraya, mais celle-ci fut détruite en 1818 par les forces turco-égyptiennes de Méhémet Ali. Depuis, les vieilles murailles et les palais crénelés subirent jour après jour l'assaut du vent et de quelques rares pluies furieuses. Résultat : à 30 km au nord-ouest de Riyād, un ensemble de ruines somptueuses, aujourd'hui classées monuments historiques.

Au moment où Daraya était une capitale, Riyād n'était qu'une oasis. En 1824, quand survint la seconde expédition turco-égyptienne,

le petit-fils de la dynastie saoudienne s'y réfugia et en fit la capitale des lambeaux de son royaume. Protégée par une enceinte fortifiée, la ville n'était alors qu'une agglomération de maisons en pisé, abritant de six à sept mille personnes. Elle possédait néanmoins trois édifices importants : le palais de l'émir Turki, la Grande Mosquée et la forteresse Musmak. Seule cette dernière, avec sa célèbre porte d'entrée, a survécu et trône encore au centre de ce qui reste de la vieille ville.

Le développement de la capitale fut lent. En fait, c'est l'augmentation croissante des revenus pétroliers, à partir de 1945, qui a permis la transformation de cette petite bourgade en une véritable métropole, peuplée aujourd'hui par plus de 667 000 habitants. Siège du gouvernement (seul le ministère des Affaire étrangères est installé à Djedda), Riyād se présente au visiteur comme une ville contemporaine, où les châteaux d'eau, les immeubles de bureau, les constructions gouvernementales et les hôtels ultra-modernes font disparaître peu à peu les quelques vestiges de l'architecture traditionnelle du Nadjd.

Capitale administrative, mais aussi culturelle, elle abrite des universités, des collèges de langue arabe et de législation musulmane, et les trois académies (police, armée, aviation). Elle s'enorgueillit aussi de posséder l'hôpital le plus moderne de tout le Proche-Orient, le King Faïçal Hospital, achevé en 1976, mais elle est dépourvue de cinéma, de théâtre et de distractions : interdits par le Coran. Et toute activité s'arrête aux heures de la prière...

Par la seule voie ferrée d'Arabie Saoudite, une locomotive Diesel, tirant de luxueuses voitures climatisées, relie en moins de sept heures Riyād à Az Zahrān (Dhahran), sur le golfe Persique.

C'est une plongée dans un autre monde. Ici règnent le pétrole et l'agriculture intensive. Ici, les cités comme Ad Damman et Al Khobar ont été construites selon des plans dressés à l'avance, et les antiques villes-oasis d'Al Qatif et d'Al Hufūf ont été rebâties à la mode américaine, en faisant table rase de tous les vestiges du passé. Ce ne sont plus que maisons standards, immeubles à plusieurs étages, fermes modèles en béton et bâtiments administratifs rigoureusement alignés. Toutes ces constructions, dont les plus vieilles ont moins de dix ans, ont un point commun : la climatisation.

Seul responsable : le pétrole. Depuis 1939, sa production annuelle est passée de 2 millions de tonnes à plus de 495 millions ! Si bien que les revenus pétroliers représentent maintenant 90 p. 100 du budget de l'Arabie Saoudite.

Ces revenus permettent un important effort d'investissement, et le triangle Az Zahrān-Al Khobar-Ad Damman n'est qu'un gigantesque complexe industriel. On ne peut donc espérer voir, dans cette région et sur cette côte, que des plates-formes de forage et des oléoducs, des réservoirs et des installations portuaires, des raffineries et des pétroliers géants... Un monde très sophistiqué, presque entièrement automatisé, qui emploie cependant une impor-

◄
À l'époque hellénistique, les Nabatéens creusèrent dans les rochers de Madā'in Sālih des tombes monumentales et des demeures troglodytiques dont le style rappelle l'art grec.
Phot. Duroy-Rapho

tante main-d'œuvre (des Yéménites et surtout des Bédouins nomades, que l'on a pu ainsi sédentariser). Cette main-d'œuvre connaît la journée de huit heures, les hauts salaires, mais aussi les tensions sociales des pays fortement industrialisés.

Les cultures des oasis constituent l'autre richesse de la région. Al Hufūf, la plus importante de ces oasis avec ses 180 000 habitants, s'est agrandie entre 1967 et 1979, tout comme les quarante-neuf autres oasis d'Al-Ahsā. Toute cette zone a été entièrement repensée sur le plan de l'irrigation. Soixante-dix mille hectares sont maintenant approvisionnés en eau par un système complexe, réglé par ordinateur. Un modèle pour les pays arides.

Dans ce vaste territoire où l'eau est gratuite, mais où sa distribution est programmée sans tenir compte du jour sacré du repos, des fêtes religieuses ou du ramadan (une exception unique en Arabie), on cultive tous les légumes et tous les fruits des pays tempérés, ainsi, bien entendu, que ceux des régions tropicales. Dans ce paradis de fleurs et de couleurs, le rêve de l'Arabie heureuse est devenu réalité. Chaque année, les limites du désert reculent...

Du torchis du Nadjd aux pierres de l'Asir

Pour retrouver les maisons de torchis à toit plat et à crénelage détruites par l'urbanisation de Riyād, il faut se rendre dans les villages du Nadjd central, entre Hā'il et l'Asir.

Toutes ces bourgades étaient protégées par des enceintes fortifiées. Situées sur le passage des Bédouins nomades, les oasis se méfiaient. Derrière ces murs et ces bastions, des habitations toutes semblables. Une minuscule entrée donne accès à une cour intérieure que cernent des bâtisses à galeries de deux ou trois étages, faites d'un mélange de briques de torchis et de troncs de palmiers, et garnies de volets de bois aux lattes entrecroisées. Ces maisons sont agréables à vivre : fraîches en été, elles gardent bien, en hiver, la chaleur des poêles à charbon de bois.

Tout différents sont les climats de l'Asir et de la région de Nadjran, où les montagnes, coupées de profondes vallées, s'élèvent jusqu'à 3 000 m. À la chaleur et à la sécheresse du Nadjd succèdent une température clémente et des pluies régulières. L'implantation des villages se fait non plus autour d'un point d'eau, mais sur une élévation dominant la zone cultivée. Quant aux maisons, la montagne a fourni la pierre nécessaire à leur construction.

Ces énormes bâtisses existent toujours. Elles se présentent comme des tours trapézoïdales, où la pierre alterne avec le torchis. Ce dernier, toujours peint en blanc ou en ocre, est protégé du ruissellement des pluies par des rangées de dalles de pierre formant auvent.

Abhā, la principale ville de l'Asir, a conservé, malgré son développement, ces habitations originales, mais celles-ci sont encore plus pittoresques dans les villages d'une dizaine de maisons que l'on découvre au détour d'une piste ou après avoir longuement cheminé dans la montagne. Même architecture verticale à Nadjran et dans ses environs. Cependant, on approche du désert du Rub al-Khali, et les pluies se font de plus en plus rares. Alors les maisons changent un peu d'aspect : dépourvues des dalles de pierre insérées à l'horizontale, elles sont également moins massives et plus hautes ■   Gérard GUILLOT

▲

Hautes architectures crénelées et ceinture de murailles permettaient aux villageois de l'« Arabie verte et heureuse » de défendre leurs réserves de grain contre les incursions des Bédouins nomades venus du désert.
Phot. Lafargue-Gamma

▶

Masjid al-Haram, l'immense mosquée de La Mecque, peut accueillir un demi-million de fidèles : c'est le lieu saint le plus vénéré de tout l'Islam.
Phot. Sipa-Press

la république arabe du
Yémen

En dehors de la mer Rouge, qui borde le pays à l'ouest, les frontières du Nord-Yémen sont imprécises : au nord, parce que les tribus des cheikhs toujours royalistes ne se sont pas encore décidées à obéir aux autorités républicaines de Sana ; à l'est, parce que les premières approches du Rub al-Khali interdisent, dans le vide du désert, une délimitation nette ; au sud, parce que la guérilla permanente entretenue par des commandos venus du Sud-Yémen exclut un tracé réel de la frontière entre les deux Yémens.

Dans ces conditions, comment savoir que l'on a pénétré au Yémen ? À la façon dont les Yéménites sont vêtus. La longue *dishdaska* (tunique) des Bédouins saoudiens fait place à la *fouta*, morceau d'étoffe roulé autour de la taille et formant une sorte de jupe s'arrêtant aux genoux. La *ghotra* ou le *kaffiyeh* est remplacé par le turban noué autour de la tête. Enfin,

▲

Située à 2 350 m d'altitude, Sana, capitale du Nord-Yémen, dont la légende attribue la fondation à Noé, est, avec ses hautes maisons brunes festonnées de blanc, le plus bel exemple de l'urbanisme yéménite.
Phot. Gerster-Rapho

symbole exclusivement yéménite, les hommes portent la fameuse *djambiyya*, un large poignard recourbé qui se glisse sous la ceinture et barre tous les ventres. Avec un peu d'habitude, on apprend à reconnaître, selon que la *djambiyya* est portée à droite ou à gauche, selon la largeur et la qualité de la ceinture, selon la matière et la ciselure du manche, si le porteur est un notable religieux ou un chef de tribu, s'il a accompli le pèlerinage à La Mecque ou pas... « Montre ta *djambiyya*, je te dirai qui tu es. »

L'un des paradis terrestres

Sana (ou Sanaa), capitale de la république arabe du Yémen, est d'abord une « vieille ville » ; la tradition veut que ce soit la plus

◄

Strictement voilées lorsqu'elles vivent dans les agglomérations, où leur activité est réduite, les femmes yéménites ont souvent le visage découvert à la campagne, où elles mènent une vie laborieuse.
Phot. P. Maréchaux

trale : on ne trouve pas d'échoppe de bijoutier dans le souk aux épices, et le quartier des tailleurs ignore le fer-blanc...

Sana ne se limite pas à la vieille ville. Elle possède aussi un quartier turc, qui a conservé de belles maisons entourées de jardins, et les restes d'un curieux quartier juif, abandonné au moment de l'exode de 1949. Enfin, elle se veut une capitale moderne. De larges avenues quadrillent le centre. Bordées d'immeubles bariolés, elles convergent vers la place Midan al Taghir, où sont concentrés les ministères, les banques, la poste, etc. Une seule de ces artères — l'avenue Abd al Moghni — comporte des trottoirs ; comme, de ce fait, c'est là que se sont installés les commerces de luxe, on l'appelle communément « les Champs-Élysées » !

Se promener dans la Sana moderne reste cependant une aventure. Il faut éviter, dans la cacophonie des avertisseurs, la ronde des voitures et des motos japonaises, et se frayer un chemin parmi les hordes de chiens errants. Mais cette aventure mérite d'être vécue. La promenade permet de découvrir quelques-unes des quarante-cinq mosquées de la ville, les palais gouvernementaux — détruits et reconstruits à chaque coup d'État —, le Musée national, installé dans l'ancien palais du frère de l'imam Ahmad... Elle permet aussi de croiser quelques riches femmes yéménites, dont les voiles de mousseline noire, brodés d'or et d'argent, soustraient aux regards indiscrets un fin visage et de beaux yeux maquillés.

Les sortilèges du qât

Sana n'a pas le privilège des trésors architecturaux : ils fleurissent dans tout le Yémen, à l'exclusion de la Tihama. Pour les découvrir, il

ancienne cité du monde, édifiée par Noé après le déluge. Il y a quinze ans, elle était encore cernée d'une haute muraille de pisé, jalonnée de bastions et percée de huit hautes portes. Les urbanistes égyptiens qui sévirent entre 1963 et 1970 n'ont laissé subsister que quelques pans de mur et une unique porte (Bab el Yemen), mais la vieille ville est heureusement intacte. Ses hautes maisons (huit à dix étages) se dressent dans toute leur splendeur, avec leurs

magnifiques façades superposant, du sol aux terrasses, le basalte, le granite et les briques colorées, et leurs fenêtres découpées, ourlées, festonnées, où alternent vitraux multicolores et feuilles d'albâtre translucides.

Autour de cette oasis de beauté et de calme, le quotidien reprend ses droits avec la foule grouillante des souks. Encombrés d'objets en plastique et de gadgets d'importation, ceux-ci ont néanmoins gardé leur ordonnance ances-

▲
Bien que le Yémen ait découvert certains aspects de la civilisation occidentale, on y utilise encore le moyen de transport ancestral, et le chamelier ne quitte pas son énorme poignard courbe, la traditionnelle djambiyya.
Phot. Weisbecker-Explorer

▲
L'architecture yéménite édifie sur une assise de pierre des maisons souvent très hautes, aux murs de brique ou de pisé, dont les fenêtres à vitraux sont soulignées par un encadrement de plâtre blanc.
Phot. Gerster-Rapho

▲
Dans les régions montagneuses, des villages, fortifiés comme des citadelles, s'élèvent au-dessus des cultures étagées en terrasses par de nombreuses et patientes générations de paysans.
Phot. P. Maréchaux

▶
Posté au milieu des champs minuscules où pousse le qât, un village-forteresse dans le décor farouche des djebels qui culminent à plus de 3 000 m aux alentours de Manakha.
Phot. P. Maréchaux

suffit d'entreprendre une randonnée de quatre ou cinq jours dans la région des moyens ou des hauts plateaux. De pics en vallées et de tables désertiques en terrasses verdoyantes, c'est un enchantement continuel. Dans des paysages sauvages et des cirques majestueux, des villages fortifiés sont juchés sur des pitons presque inaccessibles. Les habitants, qui, malgré leur désir de vous accueillir dignement, n'ont rien à vous donner à manger, vivent dans de véritables palais médiévaux de six à huit étages, percés de hautes fenêtres. Dans la journée, l'alternance de la pierre, de la brique et du pisé fait jouer les ombres et les lumières ; la nuit s'épanouit le scintillement des vitraux. Alors chaque façade devient un décor presque irréel, et il n'est pas facile de distinguer la maison plusieurs fois centenaire de celle qui a moins de cinquante ans.

Ces villages apparemment déserts s'animent dès qu'un étranger apparaît. Habituellement silencieux, ils résonnent de mille bruits lorsque hommes, femmes, enfants et animaux reviennent des champs, ou plutôt des minuscules parcelles de terres cultivées sur les terrasses. Celles-ci s'étagent sur les flancs des montagnes comme les gradins d'un amphithéâtre. Souvent très étroites, elles sont soutenues par de petits murets de pierres.

Sur ces terrasses, une seule culture, ou presque : le *qât* (ou *quat*). Cet arbuste est l'objet de toutes les attentions depuis le XVe siècle. Interdit en Arabie, il est plus présent que jamais au Yémen et tend à s'implanter en Éthiopie et en Somalie. Le *qât* est une plante à feuillage persistant et à croissance rapide. Ses

▲
Aux environs de Sana, la bourgade de Wadi Dhar est nichée au fond d'une vallée bien irriguée, plantée de vignes et d'arbres fruitiers.
Phot. Weisbecker-Explorer

▲
*Capitale au XIIIᵉ s., Djibla a conservé, du temps de
sa splendeur, quelques-uns des plus beaux minarets du
Yémen, et son ambiance est restée celle d'une petite
ville du Moyen Âge.*
Phot. Brun-Explorer

Histoire
Quelques repères

IIIe millénaire av. J.-C. : apparition du royaume de Saba dans le sud de la péninsule Arabique.

IIIe s. av. J.-C.-IVe s. apr. J.-C. : le royaume de Saba absorbe les royaumes de Ma'īn, Qatabān et Hadramaout.

24 av. J.-C. : tentative de conquête du royaume de Saba par le général romain Caius Aelius Gallus.

120 apr. J.-C. : première rupture du barrage de Marib et déclin du royaume de Saba.

335 : les Éthiopiens du royaume d'Aksoum envahissent le Yémen.

IVe s. : formation de communautés chrétiennes.

516 : avènement du roi himyarite juif Dhou Nowas.

524 : Dhou Nowas massacre les chrétiens de Nadjran.

525 : deuxième invasion éthiopienne.

535 : avènement d'Abraha, roi chrétien du Yémen.

572 : les Perses Sassanides envahissent le Yémen ; destruction définitive du barrage de Marib.

630-631 : le Yémen, investi par les Bédouins, se convertit à l'islam.

820 : fondation d'une dynastie à Zabīd, ville qui restera autonome jusqu'au XIIe s.

893 : fondation à Sa'dah de la dynastie zaydite qui régnera jusqu'en 1962.

XIe-XIVe s. : divers essais de conquêtes du Yémen par les Éthiopiens, les Portugais, etc.

Fin du XVIe s. : première invasion turque.

1839 : les Anglais occupent Aden et sa région.

1840-1848 : deuxième invasion turque au Nord-Yémen.

1904 : l'imam Yahya chasse les Turcs et entre triomphalement dans Sana.

1918 : indépendance du royaume arabe du Yémen.

1934 : traité de Ta'if, après le conflit avec l'Arabie Saoudite ; le Yémen perd l'Asir, et l'Angleterre établit son protectorat sur Aden.

1948 : assassinat de l'imam Yahya.

1948-1952 : exode de 50 000 juifs yéménites vers Israël.

1962 : mort de l'imam Ahmad ; proclamation de la république arabe du Yémen.

1962-1970 : guerre civile ; interventions de l'Arabie Saoudite et de l'Égypte.

1967 : départ des Anglais d'Aden et naissance de la république populaire du Sud-Yémen.

30 juin 1970 : accord entre royalistes et républicains au Nord-Yémen.

30 nov. 1970 : le Sud-Yémen se transforme en république démocratique et populaire du Yémen.

28 oct. 1972 : accord de Tripoli, prévoyant, pour 1973, la réunification des deux Yémens.

29 mars 1979 : nouvel accord visant à unifier les deux Yémens. Pas plus que les précédents, cet accord ne sera suivi d'effets.

jeunes pousses, vertes et tendres, ont des vertus euphorisantes. Au Yémen, tous les hommes, parfois aussi les femmes et les enfants dès l'âge de huit ans, mastiquent du *qât*. D'où ces grosses boules gonflant les joues d'énormes fluxions. D'où aussi, en fin d'après-midi, ces regards un peu voilés et ces élocutions pâteuses.

Longuement mâchées, les feuilles vertes du qât *trompent la faim et procurent une agréable sensation d'euphorie, mais leur consommation répétée finit par plonger leurs amateurs dans un état d'hébétude.*
Phot. P. Maréchaux

Car la séance quotidienne de *qât* a lieu l'après-midi. Confortablement installé sur les tapis et les coussins du *mouffedj* (la pièce de réception, souvent située au dernier étage de la maison yéménite), on passe trois ou quatre heures à mâchonner sa « botte » de pousses de *qât*, tout en bavardant avec ses amis. Rapidement, dans la double euphorie du plaisir et de l'amitié, on est « bien ».

Une drogue, le *qât* ? Pas tout à fait, même s'il contient des amphétamines. En revanche, il a pour effets certains de couper l'appétit, de déformer la joue de celui qui le chique quotidiennement, de favoriser l'éclosion de maladies intestinales et d'affaiblir la puissance sexuelle.

Ce qui est plus grave, c'est que les sortilèges du *qât* ruinent économiquement le pays. La ration journalière coûte entre 50 et 200 *rials*, selon la qualité et la fraîcheur des pousses. Jusqu'à ce jour, aucun gouvernement yéménite n'a réussi à enrayer ce véritable fléau social.

Sur les traces de la reine de Saba

Sa'dah est enfermée dans des murailles de pisé que surmontent de nombreuses coupoles de marabout (petit sanctuaire). À l'intérieur de l'enceinte, les maisons sont un mélange de l'architecture yéménite et de l'architecture saoudienne du Hedjaz, avec leurs murs de torchis et leurs terrasses cornues, souvent blanchies à la chaux. Pour bien connaître la ville, ses mosquées, son animation et ses hommes (tous armés), rien ne vaut la promenade sur les remparts.

Ta'izz, qui compte plus de 100 000 habitants, n'a pas le même charme. Étagée sur plusieurs collines au pied du Djebel Sabir, elle jouit d'un climat particulièrement agréable. Sa vieille ville a peu d'attraits, mais la cité moderne joue le rôle de capitale économique du pays. Les souks sont florissants, et c'est un centre de villégiature possédant casino, piscine et hôtels confortables.

Entre Ta'izz et Sana, Ibb est sillonnée d'antiques ruelles dont les hautes maisons de pierre sont parmi les plus belles du Yémen, et Djibla, la citadelle aux soixante mosquées, est hérissée de magnifiques minarets ocre et blanc.

Au nord-est de Sana, Marib, l'ancienne capitale du royaume de Saba, mérite une expédition. Le mot n'est pas trop fort si l'on emprunte une des trois pistes qui conduisent à cette porte du Rub al-Khali, mais l'avion en fait une simple visite.

Le royaume de Saba atteignit l'apogée de sa puissance au VIIe siècle av. J.-C., grâce à d'importants travaux d'irrigation dont la pièce maîtresse était le « grand barrage » (une muraille de pierre et de terre). Son agriculture florissante lui permit d'étendre son influence jusqu'à la côte d'Abyssinie, et il s'enrichit par le commerce des aromates et des épices avec le monde méditerranéen. Mais il fut l'objet de bien des convoitises, et la rupture du barrage entraîna son déclin.

De ce barrage, il ne reste que d'imposants pans de murs, et l'ampleur de l'ouvrage est plus visible lorsqu'on survole le site en avion que quand on se trouve au pied des vestiges.

Vestiges d'un temple dédié à la Lune par Balkis, légendaire reine de Saba dont le faste éblouit, dit-on, le roi Salomon, ces piliers carrés émergent des sables de Marib, jadis capitale des Sabéens.
Phot. Dieste-Explorer
▼

Le temple de Balkis, la fameuse reine de Saba de la Bible, est mieux conservé. Dédié au culte de la Lune, il possède encore un péristyle dont huit colonnes sont dressées, un vestibule et une enceinte, cette dernière très ensablée.

Dans l'attente des résultats des fouilles entreprises depuis 1980, la légendaire reine de Saba gardera son mystère. Des années encore, le royaume qui fit donner au sud de la péninsule Arabique le nom d'« Arabie verte et heureuse » conservera ses secrets.

Des souvenirs africains

La route qui, d'est en ouest, relie Sana aux plaines de la Tihama permet de se faire une idée précise des différentes régions du Yémen. Aux crêtes et aux rocs désordonnés des hauts plateaux succèdent les vallées et les terrasses des moyens plateaux, suivies, à partir de Souk el Khemis, par les plaines dont les cultures mécanisées s'étendent jusqu'à la mer Rouge. Les premiers tracteurs apparaissent en même temps que les premiers chameaux, et les bananeraies annoncent le climat subtropical.

La chaleur, les chapeaux de paille, les huttes coniques groupées à l'intérieur d'une palissade circulaire et les femmes non voilées, à la peau très sombre, évoquent le continent noir. Comme si ce peuple doux et aimable, bien différent des farouches montagnards du reste du pays, voulait témoigner que, jadis, l'Arabie et l'Afrique ne formaient qu'un seul continent.

Des villes pittoresques jalonnent la Tihama. Moka a immortalisé son nom grâce au fameux café d'Arabie produit sur les plateaux. Dès le XVIIIᵉ siècle, son port exportait l'« or noir » de l'époque. C'était alors la ville la plus importante du Yémen, avec ses 60 000 habitants. Puis Aden la supplanta. Aujourd'hui, le café, dont la production diminue de jour en jour (les caféiers sont arrachés au profit des plantations de *qât*), est exporté par Hodeïda. Moka n'est plus qu'une ville qui se meurt. Sa population est tombée à 6 000 habitants, qui luttent contre l'ensablement.

Si Al Khaukha demeure un petit port traditionnel, avec ses boutres et ses pêcheurs, la vieille cité de Zabīd est une des plus belles du Yémen. Ses maisons de stuc blanc, ses jardins clos, ses ruelles couvertes, ses enceintes et sa citadelle ont su demeurer à l'abri du modernisme.

Au nord, le petit port de Loheia, évoqué par Monfreid, est aujourd'hui ensablé, tandis que le bourg est ensommeillé. Zohra mérite un détour pour son marché, et Salif pour ses carrières de sel gemme.

Hodeïda est, avec 120 000 habitants, la plus grande ville de la Tihama, et son port ravitaille tout le Yémen. En dehors des maisons lépreuses du vieux port et du lacis de ruelles tortueuses menant aux souks, la ville est la plus moderne et la plus active du pays, surtout le soir, à la fraîche. On y trouve même, fait rarissime, trois cinémas en plein air ■ Gérard GUILLOT

▲
Spectaculairement juchée à près de 50 m de hauteur au sommet d'un énorme bloc rocheux, l'ancienne résidence d'été du célèbre imam Yahya (il expulsa l'occupant turc) domine l'oasis verdoyante de Wadi Dhar.
Phot. M.-F. de Labrouhe

la république démocratique et populaire du
Yémen

En dehors des époques anté- et préislamique, le Yémen du Sud a toujours vécu sous la dépendance de l'étranger. Dès le XVIᵉ siècle, le port d'Aden, situé sur la route de l'Inde, de Ceylan et de la Malaisie, fut l'objet de toutes les convoitises.

Lorsque Bonaparte débarqua en Égypte, les Anglais, pour lui barrer la route de l'Orient, occupèrent l'île de Périm, à l'entrée de la mer Rouge. En 1802, ils signèrent avec le sultan d'Aden un traité ouvrant le port à leurs marchandises et à leurs ressortissants, puis, après diverses tentatives d'occupation, réussirent, en 1839, à s'emparer de la ville. Ils ne devaient quitter le pays qu'en 1967 !

Aussitôt indépendant, le Yémen du Sud se proclama république populaire. Seule république marxiste du monde arabe, il ne pouvait manquer de faire appel à l'U.R.S.S. et à la Chine pour entreprendre son développement économique. Sa dépendance continuait.

Il est de fait qu'Aden est une position stratégique de premier plan. Le percement du canal de Suez, en 1869, la rendit indispensable : c'était le point de ravitaillement en charbon de tous les navires. Son importance s'accrut quand elle devint le verrou de la route du pétrole.

Aujourd'hui, son rôle est moindre, car les supertankers, par leurs dimensions, sont obligés de contourner l'Afrique pour gagner l'Europe. Mais Aden n'en demeure pas moins un centre névralgique, dans cette région du monde où les luttes d'influence sont exacerbées.

Pour le voyageur, Aden a deux visages. Celui d'une ville moderne, avec de larges avenues, des buildings, des hôtels de luxe, des banques, etc., où le souvenir de l'Angleterre reste vivace ; casinos, boîtes de nuit et dancings sont fermés, mais cinémas et piscines ont une bonne clientèle locale. L'autre visage est celui d'une ville typiquement yéménite.

Le quartier yéménite, appelé Crater (Aden est bâtie au pied d'un volcan), est dominé par la mosquée Al Idroos, l'une des plus anciennes du Sud-Yémen. Il abrite aussi l'impressionnant ensemble des « citernes de la Reine de Saba ». Ces 18 réservoirs, en grande partie creusés dans le roc, ont une capacité globale de 100 000 m³. Les archéologues pensent qu'ils datent du premier siècle de notre ère.

Capitale de la république démocratique et populaire du Yémen, Aden a toujours été ouverte vers l'extérieur, mais le reste du pays, en dépit de son industrialisation et d'une évolution des mentalités (les femmes ne sont plus voilées et travaillent en usine), demeure replié sur lui-même, fermé aux influences étrangères.

◀

Sud-Yémen : dans la vallée du Wadi Do'an, la coupole conique d'une chapelle éclate de blancheur au pied des hautes bâtisses ocres qui font des bourgs yéménites des « Chicago » du désert.
Phot. Saint-Hilaire-Atlas-Photo

▲

Les maisons de Mukalla, deuxième ville du pays et port actif, se serrent sur une étroite bande côtière, entre l'océan Indien et les premiers contreforts de l'Hadramaout.
Phot. de Decker-Gamma

Des perles dans un désert

Dans l'ensemble du pays, le climat est torride et les pluies inexistantes. Le Sud-Yémen est donc désertique, en dehors des villages côtiers et de la vallée de l'Hadramaout. Mais, dans ce désert, que de perles à découvrir !

Il y a, sur le golfe d'Aden, les merveilles de Mukalla et les charmes de Sihr, connus depuis la plus haute antiquité sabéenne. Il y a les cités à la fois verdoyantes et sauvages de Laudar et de Zara, et les jardins de Mukeiras. Il y a les ruines de Shabwa, ancienne capitale du royaume d'Hadramaout.

Et puis, surtout, il y a le fameux triangle des trois villes glorieuses du Sud-Yémen : Seiyun, Tarim et Shibam. Au milieu d'une oasis de verdure, Seiyun se dresse tel un palais aux multiples constructions. L'ocre de ses maisons de pisé rivalise de luminosité avec la blancheur des murailles et des tours. Tarim est aussi belle et s'enorgueillit, en plus, d'être une capitale intellectuelle. Son université est aussi ancienne que ses mosquées, et ses bibliothèques recèlent les généalogies de toutes les grandes familles du pays. Quant à Shibam, c'est un joyau. « Chicago » du désert avec ses gratte-ciel dont les plus anciens datent de cinq cents ans, elle n'a jamais été conquise, tant elle est bien fortifiée ■
                                     Gérard GUILLOT

▲
Près de Dhula, un dôme pyramidal, vieux de six siècles (et toujours solide), coiffe la vieille mosquée de Dhubayyat.
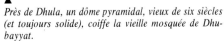
Phot. Richer-Fotogram

▲
Au pied du plateau aride de l'Hadramaout, les vallées encaissées des oueds sont parsemées d'oasis où se rassemble toute la population.
Phot. C. Kutschera

▶
Sud-Yémen : de hautes falaises calcaires, burinées par l'érosion et frangées d'éboulis, dominent l'oasis de Tarim.
Phot. M. Déribéré